L'ESPRIT D'ÉQUIPE

Catalogage avant publication de Bibliothèque et Archives nationales du Québec et Bibliothèque et Archives Canada

Skuy, David, 1963-

   [Making the cut. Français]

   L'esprit d'équipe

   (Passion hockey ; 3)
   Traduction de : Making the cut.
   Pour les jeunes de 12 ans et plus.

   ISBN 978-2-89723-625-0

   I. Rudel-Tessier, Michel. II. Titre. III. Titre : Making the cut. Français.

PS8637.K72M3414 2015   jC813'.6   C2015-940988-8
PS9637.K72M3414 2015

Nous reconnaissons l'aide financière du gouvernement par l'entremise du Programme national de traduction pour l'édition du livre, une initiative de la *Feuille de route pour les langues officielles du Canada 2013-2018 : éducation, immigration, communautés*, pour nos activités de traduction.

Les Éditions Hurtubise bénéficient du soutien financier du gouvernement du Québec par l'entremise du programme de crédit d'impôt pour l'édition de livres et de la Société de développement des entreprises culturelles du Québec (SODEC). L'éditeur remercie également le Conseil des arts du Canada de l'aide accordée à son programme de publication.

Financé par le gouvernement du Canada
Funded by the Government of Canada | **Canadä**

Conception graphique : René St-Amand
Traduction : Michel Rudel-Tessier
Illustration de la couverture : Pavel L Photo and Video, shutterstock.com
Maquette intérieure et mise en pages : Martel en-tête

Titre original : *Making the Cut*

ISBN : 978-2-89723-625-0 (version imprimée)
ISBN : 978-2-89723-626-7 (version numérique PDF)
ISBN : 978-2-89723-627-4 (version numérique ePub)

Dépôt légal : 4ᵉ trimestre 2015
Bibliothèque et Archives nationales du Québec
Bibliothèque et Archives Canada

Diffusion-distribution au Canada :   Diffusion-distribution en Europe :
Distribution HMH   Librairie du Québec/DNM
1815, avenue De Lorimier   30, rue Gay-Lussac
Montréal (Québec) H2K 3W6   75005 Paris FRANCE
www.distributionhmh.com   www.librairieduquebec.fr

Imprimé au Canada
www.editionshurtubise.com

L'ESPRIT D'ÉQUIPE³

DAVID SKUY

TRADUIT DE L'ANGLAIS PAR MICHEL RUDEL-TESSIER

Hurtubise

David Skuy a passé la plus grande partie de son enfance à pratiquer un sport ou un autre : hockey, soccer, football, rugby… Aujourd'hui, il est écrivain et il vit à Toronto avec sa femme et ses deux enfants. Il continue de jouer au hockey une fois par semaine et il reste un inconditionnel des Maple Leafs.

Il a entrepris d'écrire cette série pour tenter de communiquer l'esprit de compétition, les défis, les amitiés et les rivalités qui rendent ce sport si passionnant et amusant.

*À ma famille, merci de m'avoir laissé lire
sur la plage… de temps à autre.*

1

La lettre

Charlie tenait le document en l'air.

— Mais, maman! Il va y avoir un coach de la LNH! Il y a juste huit joueurs invités. C'est une occasion unique.

— Je sais bien, répondit-elle doucement.

Il n'arrivait pas à comprendre. Deux semaines à l'école de hockey Élite – le rêve! –, la façon rêvée de commencer son été et la conclusion idéale d'une saison de hockey parfaite. Son équipe, les Rebelles, avait remporté le championnat. Et maintenant, cette invitation…

— Pudge m'en avait parlé. Ben, en fait, plein de gars en parlaient, mais je n'aurais jamais cru que je serais invité. Ils ont une vraie équipe d'entraîneurs; je te le répète: des gars qui ont coaché dans la LNH. Tu te rends compte? Et puis, on est sur la glace quatre heures par jour. Y a aussi de l'entraînement en gymnase et dehors… et ils font des tests d'endurance, et…

— Ç'a l'air amusant.

— Et le camp dure juste deux semaines. Je vais être revenu dans le temps de le dire et, après ça, je vais t'aider au café tous les jours, promis. T'auras même pas besoin de me payer.

Danielle, la sœur de Charlie, fit irruption dans la cuisine.

— Pourquoi vous vous chicanez?

— On ne se chicane pas, précisa sa mère.

— T'as pas quelque chose à faire ailleurs, toi? aboya-t-il.

— J'ai le droit d'être ici, c'est ma maison à moi aussi, rétorqua-t-elle en tirant la langue.

— T'es tellement nulle, lui asséna-t-il.

Sa mère lui ordonna:

— Arrête d'embêter ta sœur.

Mais il n'arrivait pas à réprimer sa colère.

— C'est pas juste! Danielle va aller au camp de théâtre, mais moi, tu veux pas que j'aille au meilleur camp de hockey au monde…

Il s'arrêta brusquement. Sa mère semblait sur le point de fondre en larmes.

— Bravo, Charlie! s'exclama Danielle.

— M'man, pleure pas. Excuse-moi.

Sa mère soupira et s'essuya les yeux du revers de la main.

— Charlie, crois-moi, il n'y a rien au monde que j'aimerais mieux que de te laisser y aller.

— Mais alors? C'est quoi le problème?

Elle mit ses mains sur les siennes.

— J'ai essayé de faire aller les choses… normalement, cette année. Autant que possible. Je sais que ça n'a pas été facile, pour vous deux. Quand papa est mort… la nouvelle ville, la nouvelle école, les nouveaux amis. Je suis tellement fière de vous! Et papa serait fier aussi. Mais ça m'a coûté très cher d'ouvrir le café. Le budget est vraiment serré en ce moment. Vraiment. Avec deux revenus, ça serait bien différent…

Ses yeux s'embrumèrent. C'était maintenant au tour de Charlie de sentir les larmes monter. Parfois, son père lui manquait tellement qu'il en avait mal à la poitrine. Un an déjà que ce stupide accident l'avait emporté. Le garçon n'arrivait pas à y croire. Tant de choses s'étaient produites depuis. Il était entré au secondaire, dans une nouvelle école par-dessus le marché, et il avait même survécu à l'intimidation de Jake et sa bande. Mais à bien y penser, sans Jake, il n'aurait probablement pas eu le courage de faire les essais pour l'équipe de l'école et, ainsi, il n'aurait pas rencontré ses nouveaux amis. C'est seulement à partir de là qu'il avait commencé à considérer Terrence Falls comme sa «maison». Mais penser à son père restait encore très douloureux.

11

Sa mère pressa sa main.

— Je suis vraiment désolée, Charlie. Je veux ce qu'il y a de mieux pour toi, mais en ce moment, on n'a vraiment pas les moyens.

Il regarda au bas de la lettre. *Coût total : 1 450 dollars.*

— Danielle a son camp de théâtre en août, poursuivit sa mère. J'ai dû faire remplacer la ventilation et les hottes au café. En plus, il a fallu changer le gril parce que je n'ai pas été assez intelligente pour prendre la garantie prolongée.

Elle se frappa le front du plat de la main.

— C'est pas ta faute, tenta de la rassurer Charlie. Tu pouvais pas savoir que ça se briserait si vite.

Elle s'appuya à son dossier.

— Merci, Charlie. Mais c'était une décision stupide. Et coûteuse. Et puis, je ne peux plus demander d'argent à grand-papa et grand-maman ; ils ont été assez généreux comme ça. Ton camp, c'est vraiment pas dans nos moyens, Charlie, je suis désolée.

Elle semblait encore au bord des larmes.

— Oublie ça, m'man, c'est cool. C'est sûr que j'aurais aimé y aller, mais il y a des choses plus importantes dans la vie.

— T'as juste à y aller l'an prochain, suggéra Danielle.

Charlie inspira profondément. Sa sœur l'exaspérait vraiment, et ça empirait depuis quelque temps. Et il n'avait pas l'intention de discuter avec une enfant de dix ans. Mais sa mère le regardait, portant sur son visage sa fameuse expression « sois gentil ».

— Le camp est pour les quatorze-quinze ans. Je vais être trop vieux l'an prochain.

Il repoussa sa chaise.

— Je vais aller regarder la télé.

Sa mère paraissait malheureuse.

— Ça va, m'man, je sais que tu me le paierais si tu pouvais. Et puis, y a des choses pires dans la vie que de passer les vacances ici, avec mes chums.

Si sa mère avait eu le don de télépathie, elle aurait bien vite su que c'était loin de la vérité. Charlie jeta un œil vers la lettre déposée sur la table et se dit qu'il allait passer un sale été.

— J'suis pas obligée d'aller au camp de théâtre, proposa soudain Danielle.

Sa mère se redressa sur sa chaise et la dévisagea avec étonnement.

— Ça fait des mois que tu te lamentes pour aller à ce camp. J'ai dû faire des pieds et des mains pour que tu y sois admise. Et là, tout est arrangé. Puis Hannah va y aller avec toi. Ça m'a pris une heure de négociation au téléphone pour que vous soyez dans le même chalet.

— Je sais ! Et ça serait l'fun, mais…

Elle ferma ses yeux et pointa Charlie du menton.

— … mais je peux y aller l'été prochain. Charlie, lui, peut participer à son camp seulement cette année.

Il n'en croyait pas ses oreilles. Sa sœur si énervante, sa sœur qui l'avait rendu fou avec son fichu camp de théâtre depuis des mois, au point qu'il croyait que sa tête allait exploser, elle ferait ça pour lui? Il avait très envie de la laisser continuer, mais il ne pouvait pas.

— C'est vraiment gentil de ta part, Danielle, mais tu es une trop bonne actrice pour manquer ça. Faut que tu y ailles. En plus, Hannah serait perdue sans toi.

Danielle secoua la tête.

— Maman peut prendre l'argent de mon camp pour le tien. Je partirai l'été prochain. Je veux que tu y ailles.

Ils regardèrent leur mère qui avait les larmes aux yeux.

— Pourquoi est-ce que tu pleures tout le temps, aujourd'hui? questionna Danielle.

— Vous êtes des enfants si merveilleux! s'exclama-t-elle. C'est une offre très généreuse, Danielle, mais es-tu bien certaine de ton coup?

— Totalement.

— Vraiment?

— Vraiment.

— Qu'est-ce que tu en penses, Charlie? lui demanda sa mère en levant les mains au ciel.

Il ne savait pas quoi répondre.

— Tu devrais y penser un jour ou deux, Danielle, réussit-il néanmoins à articuler. Je dois donner ma réponse avant la fin de semaine, ça nous laisse du temps.

— Attends pas, *man*, vis l'instant présent.

Charlie éclata de rire et il passa son bras autour des épaules de Danielle.

— J'pense que j'ai la sœur la plus cool de tout l'univers.

— Oh, oh! Qu'est-ce que tu dis de ça? demanda sa mère.

Danielle prit un air malicieux et répliqua:

— Je pense que la sœur la plus cool de tout l'univers aimerait bien un peu de crème glacée.

Elle pointa le frigidaire du doigt.

— Pas question! réagit Charlie. La sœur la plus cool de l'univers mérite mieux que de la crème glacée achetée au magasin. Elle mérite un banana split avec de la sauce au chocolat et des pinottes de chez Dutch Dream, rien de moins! Et c'est moi qui paye!

— Pas de crème fouettée? feignit de s'insurger Danielle.

— C'est compris dans le forfait.

Leur mère se leva.

— C'est trop tentant. Je viens avec vous.

Charlie la menaça:

— Et que je te voie pas emporter ton sac à main. C'est moi qui invite. J'ai économisé de l'argent juste pour ça!

En vérité, il avait mis de l'argent de côté en effectuant des livraisons pour le café de sa mère en vue de s'acheter un nouveau *longboard*. Mais une occasion comme celle-là valait la peine de sacrifier quelques dollars.

— Je vais chercher mon argent et ensuite, *let's go !* s'écria-t-il joyeusement en brandissant le poing.

Il se rua hors de la cuisine, le bras toujours en l'air, et il grimpa les marches quatre à quatre.

Le camp ! Le camp YEHS était tout simplement légendaire, le meilleur, le plus… Il fallait qu'il appelle Pudge. Mais il ralentit brusquement. Comment allait-il lui annoncer ça ? Pudge était un bon hockeyeur, solide, fiable, et Charlie adorait jouer avec lui, mais il n'avait probablement pas reçu d'invitation.

Le garçon commença à s'inquiéter. Il prit sa monnaie et redescendit. Il retourna dans la cuisine et jeta un coup d'œil à la lettre. Le camp commençait précisément le jour où il avait promis à Pudge de l'accompagner à son chalet. Ça devenait de plus en plus difficile d'en parler avec lui. Charlie avait le cœur gros. Il tenta quand même de chasser ces mauvaises pensées de son esprit. Danielle méritait son banana split, et plus encore.

Sa mère et sa sœur étaient déjà dehors à l'attendre, alors, profitant de l'absence de témoins, Charlie se permit une petite danse de la victoire. Le camp commencerait dans trois semaines. Lui qui croyait que l'été serait désespérément ennuyeux…

2

Sur la butte

Charlie ralentit dès qu'il entendit le son de voix familières. Il était soucieux depuis quelques jours : difficile d'aborder le sujet du camp avec ses amis. Il ne voulait surtout pas avoir l'air de se vanter. Il décida qu'il valait mieux attendre qu'ils aient fini leur tour de skate et que tout le monde soit sur le point de partir. Comme ça, il n'y aurait pas de longs moments pénibles ni trop de questions. Il roula lentement vers eux et leur fit un salut de la main.

— Et voilà Rolls Joyce ! s'écria le garçon aux larges épaules et aux cheveux blond cendré.

— Hé, Scott ! dit Charlie en frappant le poing tendu tout en ramassant son *longboard*. Comment ça va, les gars ?

— L'école est finie, comment veux-tu que ça aille mal ? répondit l'adolescent aux joues rondes.

Il pointa du doigt la butte où ils avaient l'habitude de faire leurs sauts en skate.

— Y a quelques gars avant nous. On chille en attendant notre tour.

Charlie s'assit à côté de lui. Pudge était son meilleur ami et le premier avec qui il avait sympathisé en arrivant à Terrence Falls. Même s'ils se connaissaient depuis moins d'un an, Charlie avait l'impression qu'ils étaient amis depuis toujours.

Nick s'approcha. Sous ses cheveux noirs comme le charbon, il avait la carrure d'un athlète et était un défenseur incroyable. Avec Scott, son partenaire et meilleur ami, ils formaient le cœur de la défense des Rebelles. Nick se retourna et tapota ses propres omoplates.

— Regardez bien mon dos, les p'tits gars. Vous allez pouvoir le contempler en masse pendant qu'on va descendre.

— J'ai huilé mes roues, annonça Charlie. Aujourd'hui, la victoire m'appartient, et ça va être spectaculaire.

— Ce serait mieux de mettre des fusées sur ton *board* si tu veux finir avant demain, répliqua Nick.

Charlie rougit un peu. Son *longboard* était nul, et il le savait. C'était le frère de Zachary qui le lui avait prêté, et le bout était complètement détruit, sans parler des roulettes qui tournaient mal. Il avait beau les graisser, rien à faire : ça n'avançait pas.

— J'vais avoir du *cash* dans à peu près un mois, j'vais m'en acheter un nouveau et là…

Des éclats de rire l'interrompirent. Ça faisait des mois qu'il parlait de s'en procurer un neuf. Il se força à se joindre aux rieurs.

— En ce moment, je me concentre sur ma technique, affirma-t-il. Croyez-moi : quand je vais avoir mes nouvelles roulettes, vous allez vous mettre en file et me supplier de vous donner mon autographe.

— On va se mettre en file pour avoir la chance de faire la course avec toi : une victoire garantie, ça se refuse pas, répliqua Scott.

Il donna une bourrade affectueuse à Charlie et souleva son skate. Ce dernier le contempla avec admiration : c'était tout un numéro.

— Je l'appelle Black Beauty. J'ai décidé aujourd'hui de détrôner messire Zachary le Lent et de devenir ce que j'aurais toujours dû être : le roi de la montagne.

— Peut-être plutôt le roi des Whippet, ricana Nick.

Charlie s'esclaffa : il faut dire que l'appétit de Scott était légendaire. La lèvre inférieure de celui-ci se mit à trembloter.

— Une seule misérable boîte de biscuits et tu m'humilies devant mes sujets.

— Tu l'as mangée au déjeuner, *man*.

— Devinez ce que j'ai dans mon sac, les interpella Scott en faisant un clin d'œil.

Nick s'écria :

— Mais qu'est-ce que t'attends ?

Scott déposa son sac à dos et l'ouvrit. Il en sortit triomphalement une boîte de Whippet aux framboises. Nick tendit la main, mais Scott lui donna une tape sur les doigts. Zachary, qui avait dévalé la butte, freina doucement tout près d'eux.

— Zach doit remplir son estomac de *junk food* le premier, déclara sentencieusement Scott en lui tendant la boîte.

Avec son petit sourire en coin habituel, Zachary s'approcha et prit trois biscuits. Zach était le meilleur skater du groupe et c'était lui qui avait tout appris à Charlie.

— J'avais prévu de laisser quelqu'un d'autre gagner aujourd'hui, commenta-t-il. Malheureusement pour vous, je tire ma force surnaturelle des Whippet. Alors, je vais être obligé de vous planter. Encore une fois.

— J'aurais dû apporter des Chocolate Chips ! pleurnicha Scott.

Pendant que les autres s'occupaient des biscuits, Charlie et Pudge s'étaient éloignés sous le feuillage d'un arbre et avaient commencé à attacher leurs genouillères.

— Je pense que ce sera notre tour dans cinq minutes, prédit Pudge.

— Scott pourra manger trois boîtes de biscuits pendant ce temps-là, affirma Charlie.

— Au moins !

Pudge fit rouler les roulettes de son skate.

— Mon père a décidé qu'on partirait au chalet à sept heures demain matin. J'ai essayé de retarder un peu, mais il faut prévoir un départ très tôt. Une fois là-bas, il nous laissera dormir comme on veut, heureusement. Mais, évidemment, ce sera seulement jusqu'à ce qu'il décide de faire marcher ses outils.

C'était le bon moment pour en parler à Pudge. Charlie était impatient d'aller au chalet de son ami. En fait, c'était de cela qu'il avait le plus envie de tout son été. Pudge allait lui enseigner le ski nautique ; il y avait un lit superposé rien que pour eux… Son ami allait être tellement déçu.

— Ouais, euh… à propos de ça… Ben, euh… y a un petit problème…

Pudge le regarda tandis qu'il arrachait des brins d'herbe de dépit.

— Tu devineras jamais ce que j'ai reçu par la poste. En tout cas, moi, j'ai trouvé ça incroyable.

Pudge haussa les sourcils.

— Ouais, incroyable… Ben, ça fait que, voilà… j'ai été invité au YEHS, tsé, le camp élite… Pis, ben… c'est super plate, mais ça commence en fin de semaine. Ça fait que j'pense bien que je pourrai pas aller au chalet…

Il s'attendait à ce que son ami soit triste ou même en colère.

— Ça, mon gars, c'est vraiment in-cro-yable! C'est é-cœu-rant!

Pudge se leva.

— Heille, les gars! Vous savez pas quoi?

— Pudge, non… le pria Charlie.

— Charlie va au YEHS! Sérieux! Il a reçu une invitation!

Des cris de joie accueillirent la nouvelle. Scott s'approcha et passa son bras autour des épaules de Charlie.

— Mais tu sais qu'en fait, c'est pas un camp très prestigieux… hein? Pas un *big deal*, dit-il.

— De quoi tu parles? le coupa Pudge. Les meilleurs joueurs de l'est du pays, sur invitation seulement… Des coachs professionnels…

— Ouais, mais j'ai entendu dire qu'ils sont désespérés. Ils cherchent à recruter des joueurs. N'importe qui. En fait, ils sont tellement désespérés qu'ils invitent même des gars comme Nick.

— Attendez! C'est même pire que ça, intervint Nick. Ils ont même invité…

Il marqua une pause, inspira profondément, fit mine d'essuyer une larme et continua:

— Écoutez. Leurs standards sont tellement bas qu'ils ont invité Scott.

Il fit ensuite semblant de s'effondrer et de se mettre à pleurer à chaudes larmes. Scott alla lui tapoter doucement l'épaule.

— Ça va aller, Nicolas, ça va aller. Je sais que c'est gênant. Mais si ça peut te remonter le moral, y a un p'tit gars de quatre ans dans ma rue qui n'a pas reçu d'invitation.

Il prit un air tourmenté et se mordit la lèvre inférieure.

— Ben, en fait, c'est pas tout à fait exact. Il a reçu une invitation, mais il l'a refusée quand il a su que j'y serais.

Toutes ces nouvelles étaient si bonnes à entendre pour Charlie! Lui qui s'en faisait tellement d'annoncer ça à ses amis! Et, s'il était très excité d'aller à ce camp, il se tourmentait un peu à l'idée de n'y connaître personne. Mais là, ce serait bien différent.

— Vous méritez tous votre place, les gars, déclara Pudge. Et c'est un honneur pour l'école d'avoir trois représentants au camp.

Charlie avait beau savoir que son ami était quelqu'un de bien, il était surpris de constater à quel point l'annonce que ses coéquipiers iraient au camp, sans lui, semblait le laisser froid. Ou, plutôt, sincèrement heureux pour eux. Mais quand il leva les yeux sur Zachary, Charlie regretta sa décision d'en avoir parlé. Celui-ci était certainement le plus cool de tous ses amis – rien ne semblait lui importer –, mais cette fois, il paraissait malheureux. C'était un très bon joueur, deuxième compteur des Rebelles, ailier droit du trio complété par Pudge et Charlie. Il aurait dû recevoir une invitation.

— Je peux pas le croire, maugréa Zach. Il faut que j'aille au party d'anniversaire de ma grand-tante Hetty et, donc, je pourrai pas aller au camp.

— T'as eu une invitation, toi aussi ? demanda Scott. Ils invitent vraiment n'importe qui !

— Ils peuvent pas changer la date du party ? intervint Charlie.

Zach fit rouler ses yeux dans ses orbites.

— Je les ai suppliés. J'ai tout fait.

Il secoua la tête et reprit :

— Pudge s'en va faire du ski nautique à son chalet, vous trois, vous allez au meilleur camp de hockey au monde, et moi, je vais passer quatre jours excitants avec des membres de l'âge d'or.

Ils ne purent s'empêcher d'éclater de rire.

— Tu pourrais essayer d'organiser une *game* de hockey en fauteuil roulant, proposa Scott.

— Tu pourrais pas rire de quelqu'un d'autre, cinq minutes ? suggéra Zachary en souriant.

— Non, on va rire de toi encore dix minutes, pis après ça, on va rire de Scott, répondit Nick.

Pudge montra du doigt le haut de la colline.

— Je crois bien que ça va être bientôt à nous.

Scott donna un coup de coude à Zachary.

— J'vais passer mon tour et je me moquerai de toi un peu plus tard.

— T'es un vrai bon gars, approuva Zachary. Merci.

Les cinq amis continuèrent de s'échanger quelques plaisanteries tout en mettant leurs protections. Pudge dit à Charlie :

— Ça va être vraiment cool, toi, Scott et Nick au camp. Je demanderai à mon père si on peut reporter ta semaine au chalet.

— Ouais, ça serait cool. Je vais en parler à ma mère. Mais oui, on va s'arranger, c'est sûr.

Ils finirent d'installer leurs protections. Charlie était encore mal à l'aise de savoir que Pudge n'irait pas au camp et il se demandait s'il devait ajouter quelque chose, juste pour alléger l'atmosphère. C'est alors qu'il entendit une voix détestée.

— … pis là, j'ai eu la brillante idée de faire un *toe grab* pis d'ajouter un 180. J'me suis pété la gueule d'aplomb. J'ai glissé le long du mur comme une tomate pitchée sur une vitre…

Jake Wilkenson. Il ne manquait plus que lui !

Un groupe de skaters apparut au sommet de la colline : ils riaient en chœur de l'histoire de Jake. Charlie reconnut tout de suite la longue chevelure noire et le chandail des Raiders d'Oakland. Il n'arrivait toujours pas à comprendre ce que Jake avait contre lui. Mais son antipathie avait commencé dès le moment où ils s'étaient croisés, la première fois, durant un match improvisé, avant même le début de l'année scolaire.

Après la partie, Jake avait fait un croc-en-jambe à Charlie. Ensuite, il avait tout fait pour l'empêcher de se joindre à l'équipe de hockey de l'école. L'année précédente, le garçon avait même eu une commotion cérébrale, gracieuseté de Sa Majesté Jake.

Charlie n'avait guère plus d'estime pour le reste de sa bande : Liam, Thomas et Roscoe. Ils allaient au *high school* de Terrence Falls et jouaient tous pour les Wildcats, l'équipe que les Rebelles avaient battue en finale. Charlie se tétanisa quand ils s'approchèrent. Pudge restait muet, lui aussi, et son ami savait pourquoi : il était victime de l'intimidation de Jake depuis des années.

— La pente est un p'tit peu raide pour toi, Joyce, ricana Jake. Pis Pudge va péter sa planche avec toute la graisse qu'il traîne. Non, j'pense que ce serait mieux qu'on y aille avant vous.

Charlie remarqua que le visage de Pudge avait viré au rose foncé. Il n'aimait pas qu'on se moque de son physique. Charlie dut lutter de toutes ses forces pour garder son calme.

— Faites pas attention à lui, les gars, *let's go*, réussit-il à dire.

Mais Jake ne voulait pas lâcher le morceau.

— Laissez-nous donc commencer. On va avoir le temps de descendre, pis de remonter avant que vous ayez fait dix mètres.

— On y va, les gars, lança Charlie à ses amis.

— Tassez-vous, les filles, vous faites des folles de vous, les nargua Liam.

— Ouais, pis moi, j'suis un peu pressé, faut que je me prépare pour le YEHS, se vanta Jake. Ah, mais c'est vrai que vous savez peut-être même pas ce que c'est, parce que c'est pour les vrais joueurs de hockey ! En tout cas, moi, j'ai été invité…

Le cœur de Charlie chavira. Pourtant, il n'aurait pas dû être surpris. Autant il détestait le garçon, autant il devait admettre que c'était un très bon joueur de hockey. Il était donc bien naturel qu'il ait été sélectionné pour participer à ce camp.

Jake fixa son regard sur Charlie et, soudain, sa mâchoire et ses épaules tombèrent.

— C'est pas vrai, hein ? Dis-moi pas que t'as été invité, toi aussi ? Tu y vas, hein ?

Ce fut Pudge qui répondit :

— Pis Scott et Nick aussi ! Zach a été invité, mais il peut pas y aller.

Jake se redressa et retrouva toute sa superbe.

— Ben, ça va être l'occasion pour qu'on fasse vraiment connaissance, ironisa-t-il.

— Tu vas pouvoir constater à quel point ils sont nuls, renchérit Liam.

— Ça, je le sais déjà, affirma Jake.

Il fit retomber sa planche et se mit à rouler tranquillement.

— Vous êtes pas prêts, alors on va y aller d'abord. Merci de votre courtoisie.

Ses amis rirent et le suivirent sur la pente avant même que Charlie puisse répondre quoi que ce soit.

— Zachary, est-ce que je peux aller au party de ta tante avec toi ? demanda Scott.

La question eut le don de faire retomber la tension et les garçons se mirent à plaisanter sur les festivités de l'âge d'or. Nick émit l'hypothèse de fonder un club de lecture avec Jake, et Scott fit crouler de rire ses amis en évoquant les jeux d'intelligence qu'il disputerait contre Jake pendant le trajet en autocar jusqu'au camp.

Charlie fit comme si tout ça était très drôle, mais en vérité, il ne trouvait là rien d'amusant. Jake avait rendu la dernière année scolaire vraiment pénible, et le double-échec qu'il lui avait asséné avait failli compromettre la fin de sa saison de hockey. Pour une fois, il aurait bien aimé pouvoir faire quelque chose sans avoir le gros Jake dans les pattes.

— La piste est libre ! cria le responsable. Prochain groupe !

Zachary démarra et ses amis le suivirent. Charlie, toujours préoccupé, fut le dernier à s'élancer. Il tenta de se raisonner en se disant qu'au moins, Jake serait au camp sans sa bande. Lui, en revanche, aurait Scott et Nick à ses côtés – et ces deux-là en savaient long sur l'art de l'insulte –, ce qui devrait avoir pour effet de réduire les ardeurs de Jake.

Charlie négocia le premier virage en se penchant bas sur son skate pour accélérer. Zachary était très loin devant, et les autres creusaient la distance. Sa planche était vraiment minable. Il fallait absolument qu'il s'en achète une nouvelle. Il n'aurait qu'à effectuer quelques livraisons pour sa mère, et l'affaire serait dans le sac, songea-t-il avant d'aborder le second virage en tâchant de prendre un peu de vitesse.

3

Les colocataires

Le bus franchit un mur en pierre. L'entrée était surmontée d'une arche en fer forgé exhibant une bannière où on lisait *Northern University*. Le véhicule roula sur une large allée bordée de vieux édifices couverts de lierre. Il s'immobilisa devant un bâtiment de deux étages. La porte s'ouvrit et une femme blonde vêtue d'un sweat-shirt bleu arborant les lettres YEHS descendit les marches en brandissant une tablette au-dessus de sa tête.

— Prenez vos affaires et venez me rejoindre devant la bâtisse là-bas, les invita-t-elle joyeusement. Et bienvenue au YEHS !

Tous les passagers de l'autobus lancèrent des cris enthousiastes et se mirent en rang dans l'étroit couloir. Charlie était content de pouvoir enfin sortir. Il avait failli rater le départ. Pudge et lui avaient joué une petite partie de hockey-balle et il avait oublié ses bâtons dans son garage. Il lui avait fallu revenir chez Pudge pour les prendre et Charlie avait eu de la chance d'arriver à temps pour monter dans le car. Malheureusement, le seul siège encore disponible était à la première rangée à côté d'un des entraîneurs.

Il s'appelait Trevor, et avait joué pour la Northern University. L'homme était sympathique, mais c'était un peu pénible d'être assis à côté d'un coach pendant cinq heures. Ce qui était encore plus pénible, c'était d'entendre Jake derrière lui, qui parlait avec les joueurs en essayant de passer pour un bon gars. Lorsque l'autobus arriva à destination, on aurait dit que la moitié des passagers étaient devenus amis avec Jake.

— Écoutez-moi, les gars! S'il vous plaît, votre attention!

La femme blonde agitait encore sa tablette en l'air. La plupart des garçons continuaient de parler comme si de rien n'était. La femme ne semblait pas s'en faire outre mesure. Lentement, elle porta deux doigts à sa bouche.

Twiiiit… Twiiiit… Twiiiit!

C'était certainement le sifflet le plus strident que Charlie eût jamais entendu. Et le plus efficace aussi. Tous s'arrêtèrent de parler. La femme sourit comme si de rien n'était.

— Salut, je m'appelle Jen.

— Salut, Jen, répondirent quelques voix.

— Je sais que vous êtes impatients et excités. On a hâte, nous aussi, de commencer à travailler avec vous! On m'a dit que vous étiez des joueurs très talentueux et les coachs ont établi un excellent programme d'entraînement pour vous. Mais je vais vous demander quelques minutes afin d'organiser les choses. Je suis la gérante du programme, ce qui veut dire que je suis responsable de la bonne marche du camp. Ça signifie que je dois veiller à ce que tout ce qui doit arriver arrive. Mais, en réalité, ça implique que je donne les ordres et que vous obéissiez.

Un chœur de protestations éclata depuis l'arrière. Charlie se retourna: Jake était au beau milieu du groupe, riant et plaisantant avec ses voisins. Charlie se demanda s'il les connaissait.

Jen leur lança un regard réprobateur.

— Bon, ç'a tout l'air que vous allez être les cas problèmes, vous, là-bas.

La voix de Jake s'éleva au-dessus des autres:

— On va être doux comme des agneaux, Jen, promis, juré.

Cette dernière rit et leva les yeux au ciel.

— J'en suis persuadée…

Elle pointa sa tablette vers deux grandes tables.

— Il y a une liste là-dessus avec les numéros de chambre. Je veux que vous alliez voir ça calmement et en ordre – je présume que ça va ressembler à un troupeau d'éléphants qui chargent, mais enfin…

Les chambres ont déjà été attribuées, et ça, ça veut dire : pas de changements. N'y pensez même pas ! Prenez vos valises, mettez-les dans votre chambre et revenez ici. Ne défaites pas vos bagages. Vous aurez le temps plus tard. Après ça, retournez chercher votre équipement de hockey dans l'autobus et apportez-le à l'aréna ; c'est juste là, de l'autre côté. Ensuite, rendez-vous à la patinoire numéro 1 pour un meeting avec vos coachs.

— Est-ce qu'on va jouer aujourd'hui ? demanda Jake.

— J'aime ton enthousiasme, répondit Jen en secouant la tête, mais non, pas aujourd'hui. T'inquiète pas, vous allez avoir suffisamment de temps de glace ! Une fois que les coachs se seront présentés, je vais vous donner un aperçu du programme, je vous montrerai le campus, puis vous irez vous installer, et ensuite, vous pourrez aller manger. Entraînement sur glace demain.

Elle leva encore sa tablette.

— Vous avez dix minutes, messieurs, et après, rendez-vous ici.

Comme prévu, la plupart des gars se ruèrent sur les tables. Charlie resta en retrait. Il était un peu angoissé à l'idée d'avoir un compagnon de chambre inconnu. S'il fallait que ce soit Jake… Puis il s'avança enfin vers la table et donna son nom. Trevor lui signala qu'il le connaissait déjà et il fit descendre son index sur la liste déposée devant lui.

— Tu es dans la 20A, avec Corey Sanderson.

Nick et Scott attendaient Charlie à côté du bus.

— Pis? Quelle chambre? voulut savoir Scott.

— 20A.

— J'suis dans la 21A, annonça Scott joyeuse-ment.

— Et toi? demanda Charlie à Nick.

— 22A. Au moins, on est tout près.

— C'est comme un trio, commenta Scott. Moi, j'suis la superstar, et vous, vous êtes les deux plom-biers inutiles et sans talent qui jouent avec moi…

— Heille, Charlie! On devrait dire à Scott qu'il n'a pas le droit de nous adresser la parole jusqu'à la fin du camp. Mais faudrait lui expliquer avec tact, tu sais comme il est sensible.

— Qu'est-ce que tu dirais d'aller d'abord dum-per le stock, pis on pourra parler de ne pas parler à Scott, OK? proposa Charlie.

— Venez dans ma chambre et on va en parler, les invita Scott.

— Excellente idée, approuvèrent Charlie et Nick en chœur, et les trois amis montèrent l'escalier vers leurs chambres.

— Je reviens dans une minute, dit Charlie à Scott en ouvrant la porte de sa chambre.

— Tu dois être le seul et l'unique Charlie Joyce!

Son compagnon de chambre se leva et se dirigea vers lui en tendant la main.

— Et toi, tu dois être Corey, répondit Charlie un peu timidement, en lui serrant la main.

— Coupable, Votre Honneur !

Charlie était vraiment impressionné. Allait-il devoir jouer avec un tel monstre ? Corey était immense. Il ne pouvait pas avoir seulement quinze ans, impossible.

— Je suis de Brunswick, lui apprit le géant. Et toi ?

Son ton amical mit Charlie en confiance.

— Terrence Falls. C'est tout petit. T'en as sûrement jamais entendu parler…

— *Nope*, jamais. Tu jouais dans quelle ligue l'an dernier ?

— La East Metro – la EMHL.

— Je connais cette ligue. J'ai joué dans un tournoi, y a quelques années, contre une équipe de cette ligue-là. Connais-tu une place appelée… attends un peu… C'était quoi le nom, déjà ? Je m'souviens qu'ils avaient des chandails verts…

— Pas grave, intervint Charlie.

— L'aréna était en brique, mon père disait que c'était très *old school*. C'était bien. Je vois l'équipe dans ma tête, mais j'arrive pas à me souvenir du nom.

Corey regarda par la fenêtre et, soudain, il fit claquer ses doigts.

— Je l'ai ! Est-ce qu'il y a un endroit qui s'appelle Cliffcrest près de chez vous ?

— C'est à environ une demi-heure de Terrence Falls.

— Bon, ben, ça veut dire que je connais sûrement ta ville ; j'ai certainement joué là un m'ment donné.

Il soupira.

— J'ai joué dans tellement de villes… En tout cas, j'ai pris ce lit-là, fait que tu peux t'installer dans l'autre.

Charlie déposa son sac sur le matelas qu'il lui avait désigné.

— T'étais pas ici, l'an dernier, hein ? demanda Corey. 'Tout cas, j'me souviens pas de toi.

— Nan. C'est ma première année.

Corey hocha la tête à plusieurs reprises.

— Moi, c'est ma deuxième. J'ai été sélectionné l'an passé aussi.

Il s'allongea sur son lit.

— J'ai l'air plein de m…, je sais…

Corey interrompit les protestations de Charlie d'un geste impératif.

— Si t'as des questions, vas-y. Je sais tout ce qu'il y a à savoir ici. Ça peut devenir pas mal intense, crois-moi. Y en a qui craquent sous la pression. Mais moi, j'adore. On a des pratiques deux fois par jour, plus l'entraînement cardio. Le cardio, c'est ma spécialité, ça fait que je suis prêt. Ils prennent ça très au sérieux, crois-moi. Autant que le hockey. Tu te tiens en forme ou ils te tuent.

— En tout cas, ça doit pas être un problème pour toi, commenta Charlie.

— Mon père est un maniaque du conditionnement, indiqua Corey en tapotant son ventre, un sourire aux lèvres. Il m'oblige à aller au gym, genre quatre fois par semaine, pis on a un entraîneur privé qui nous fait travailler la force et la souplesse. Cette année, on s'est exercés sur les départs rapides. Ça m'a bâti les jambes, ça, mon homme! Les éclaireurs recherchent ça.

— Pourquoi? questionna Charlie, un peu étourdi par le flot de paroles.

— Ben, l'accélération! Ils veulent des avants qui peuvent couper au filet.

— T'as rencontré des éclaireurs?

— Quelques-uns, ouais, confirma Corey nonchalamment. C'est mon père qui leur parle, d'habitude. Y va y en avoir au Challenge et même pendant les pratiques.

— Le Challenge? C'est quoi?

— Oups, j'oubliais que t'étais nouveau. À la fin du camp, ils choisissent vingt joueurs, les meilleurs, plus des *goalers*, pis on fait des parties. C'est pas un vrai championnat, mais c'est cool.

Il rit.

— Faut que j'aille à l'autobus. Quand je commence à parler de hockey, j'suis pas arrêtable. Te gêne pas pour me dire de la fermer!

Dring… Dring… Dring…

Corey fouilla dans sa poche et en sortit un cellulaire.

— Salut, p'pa. On vient juste d'arriver. Attends…

Il plaça sa main sur l'appareil.

— Content de te connaître, Charlie. Mais il faut
que je parle à mon père deux minutes.

Il ouvrit la porte, puis se ravisa.

— J'allais oublier. Tu joues à quelle position ?

— D'habitude, au centre. Mais je sais pas où ils
vont me mettre, ici.

— J'suis centre, moi aussi. J'espère qu'on sera sur
la même équipe.

Puis il partit. Charlie déposa son sac sur le lit et
s'apprêtait à aller voir les chambres de ses amis,
mais ils le prirent de vitesse : la porte s'ouvrit brusquement, et Scott et Nick entrèrent.

— As-tu déjà vu un gars aussi *big* que ton *room-
mate* ? Seigneur ! Y est aussi gros qu'une petite
montagne ! s'exclama Scott.

— Il s'appelle Corey, les informa Charlie. J'ai
l'impression que c'est tout un joueur. Il était ici l'an
dernier ; des éclaireurs de la LNH le surveillent, il
a un entraîneur personnel, et… En tout cas, il m'a
dit que le camp, c'était très *tough*. Apparemment,
on n'est pas ici pour rigoler.

— Tant qu'ils nous nourrissent, répliqua Scott.

— Faudrait qu'on y aille, rappela Nick. Jen a dit
de se dépêcher.

— Arrête d'angoisser, intervint Scott en croisant les bras. On est des superstars, maintenant, *man*, on fait ce qu'on veut, quand on veut.

Ils se regardèrent.

— Bon, moi j'y vais, déclara Charlie.

— Moi aussi, décida Nick.

— OK, allons-y avant que Jen nous crie après, décréta Scott en désignant la porte du doigt.

Charlie fut le dernier à sortir de la chambre. Il hésita un bref instant avant de refermer la porte : difficile à croire, mais pourtant, ça y était. Le camp allait commencer. Enfin !

4

Le chouchou

Charlie attendit que l'essentiel des joueurs passe la porte de l'aréna. Il avait entendu quelqu'un dire qu'il y avait quatre glaces, que les gradins de cette patinoire-ci pouvaient accueillir cinq mille spectateurs et que l'équipe de l'université y disputait ses matchs. Il s'arrêta en haut des marches pour tenter d'apercevoir Nick et Scott. Il vit Jake en train de discuter avec une bande de garçons.

— Veux-tu bien me dire pourquoi vous, les jeunes, vous voulez toujours être assis aux derniers rangs? lui demanda Jen en montant l'escalier. J'ai jamais compris ça. Suis-moi; on va remplir les premières rangées.

Charlie se sentait vraiment idiot de suivre Jen comme un petit chien. Pour ajouter à son humiliation, elle baissa elle-même un siège qu'elle lui pointa du doigt. Quelques rires fusèrent. La femme continua de s'occuper de la circulation et elle envoya les retardataires dans les premières rangées.

— Silence, maintenant! cria-t-elle. Voici le coach Clark qui va vous présenter le reste de l'équipe d'entraîneurs.

Un courant d'excitation traversa les jeunes spectateurs tandis que le fondateur et entraîneur en chef du camp sortait du corridor pour s'avancer jusqu'à l'escalier menant aux gradins. Il se tourna pour leur faire face. Charlie avait lu sur Internet tout ce qu'il avait pu trouver à son sujet et il avait appris beaucoup sur lui. C'était un ancien joueur de la LNH, un robuste défenseur, célèbre pour ses violentes mises en échec. Depuis douze ans, il était l'entraîneur de l'équipe de l'université. En le voyant en chair et en os, Charlie fut frappé par l'intensité de son regard.

Sans préambule, le coach Clark commença son discours.

— Je vous souhaite la bienvenue à tous, nouveaux et anciens. C'est la 21ᵉ année de notre camp, mais j'imagine qu'en voyant mes cheveux gris, c'est pas une surprise pour vous!

Les joueurs rirent poliment.

— Bien des gens aiment parler des vedettes qui sont venues ici. On a eu 42 joueurs de la LNH, et près de 250 gars ont joué dans le junior majeur ou dans les rangs universitaires. Je suis fier de notre tradition, de ce qu'on a accompli. Mais pour l'instant, ce n'est pas ça l'important.

La carrure de Clark et l'autorité qu'il dégageait hypnotisaient Charlie qui écoutait attentivement.

— Vous êtes ici parce que vous l'avez mérité, parce que vous êtes les meilleurs 14 et 15 ans de votre région. Vous êtes habitués à être les plus forts de votre équipe. Ça veut dire qu'on a une équipe d'étoiles, et ça veut dire aussi que vous allez avoir la chance de vous mesurer aux meilleurs. Il ne s'agit pas de gagner, ni de perdre, ou de faire la LNH. Il s'agit d'apprendre à vous connaître vous-mêmes, à vous améliorer et à hausser votre jeu, de découvrir que vous avez des ressources en vous que vous n'avez jamais utilisées, parce que vous pouviez vous débrouiller sans. Mais ici, ça ne marchera pas. Ici, vous allez devoir travailler comme des bêtes, sans tricher. Et vous allez vous perfectionner.

Il fit une courte pause et continua.

— Comme certains le savent déjà, on va vous diviser en quatre équipes de 20 joueurs. Ne vous préoccupez pas de qui joue avec qui, ça n'a pas d'importance. Nous, on essaye de vous réunir en fonction de votre talent, de votre style de jeu et de votre complémentarité. Les équipes ne sont pas coulées dans le béton, et il est possible qu'on y apporte des changements durant le camp. Alors, s'il vous plaît, ne vous en faites pas avec ça. On a aussi une longue tradition d'erreurs dans l'évaluation de talent! Vous aurez donc amplement la chance de nous prouver qu'on s'est trompés.

Un sourire éclaira brièvement son visage.

— Et, croyez-le ou non, vous allez avoir beaucoup de plaisir. C'est un camp élite, mais ça ne veut pas dire que ça sera plate! Bien. Maintenant, je vais vous présenter le reste de l'équipe d'entraîneurs. Vous avez déjà fait la connaissance de Jen. Elle est directrice du programme; en d'autres mots, c'est la boss, alors vous devez l'écouter. Voici Trevor. C'est une ancienne vedette de l'équipe de l'université et nous sommes heureux de l'avoir parmi nous. Il va travailler avec chacun de vous, à un moment ou à un autre durant le camp. Trevor va aussi s'occuper du programme d'entraînement hors glace. Il paraît que le jogging du matin est particulièrement amusant. Pas vrai, Trevor?

Les jeunes maugréèrent. Charlie se demandait à quel point l'entraîneur était sérieux. Quatre hommes rejoignirent Clark dans l'escalier. Il mit sa main sur l'épaule de celui qui était le plus près de lui.

— Voici le coach Miller. Il va s'occuper de l'équipe 1.

Miller fit quelque chose qui ressemblait vaguement à un sourire. Clark poursuivit:

— Le coach Miller était entraîneur adjoint avec moi dans l'équipe junior nationale. Il a aussi été assistant coach durant huit ans dans la LNH avec les Stars de Dallas avec lesquels il a gagné une coupe Stanley.

Miller leva sa main droite. Charlie n'en croyait pas ses yeux : une vraie, authentique bague de la coupe Stanley. Il murmura à son voisin :

— Je serais pas triste d'en avoir une à moi.

Jen les fusilla du regard.

— Soyez attentifs, s'il vous plaît.

Charlie se sentit rougir et il s'écrasa dans son siège. Clark reprit :

— L'équipe 2 sera sous les ordres du coach Binns. Il a travaillé à tous les niveaux, y compris dans la Ligue d'élite suisse.

Il pointa ensuite un grand gaillard au crâne rasé.

— Le coach William sera responsable de l'équipe 3. Je crois bien qu'il est entraîneur ici depuis la création du camp. Est-ce que je me trompe ?

— On est ici depuis longtemps, tous les deux, répliqua l'homme.

— Et, finalement, le coach Palmer sera avec l'équipe 4. Il est entraîneur d'une équipe du junior majeur et il a coaché en Europe pendant plusieurs saisons.

Clark croisa les bras.

— Comme je vous l'ai dit, ce camp va servir à tester vos limites. Vous allez être en concurrence avec les meilleurs de votre groupe d'âge. Je le répète : il ne s'agit pas d'une compétition pour être dans l'équipe 1. Cela dit, travaillez fort, donnez tout ce que vous avez, écoutez et apprenez, et si vous êtes chanceux, vous serez peut-être choisis pour le Challenge.

Il se tourna vers la directrice du camp.

— Je laisse la parole à Jen, maintenant. Elle a des informations à vous transmettre. On commence demain matin, alors dormez bien cette nuit, reposez-vous. Au nom de tous les membres de l'équipe d'entraîneurs, je vous souhaite un bon camp. On a tous hâte de travailler avec vous !

La femme leva la main.

— S'il vous plaît, restez à vos places. Je vais vous distribuer de la documentation. Vous allez avoir vos horaires – très important – et différents documents. Oh ! Et n'oubliez pas que vous avez des tests d'endurance demain matin.

Les entraîneurs saluèrent le groupe et disparurent dans le couloir menant aux vestiaires. Jen et Trevor se mirent à fouiller dans des boîtes. En attendant, Charlie contempla les alentours. L'aréna avait l'air flambant neuf et un tableau indicateur très moderne occupait un bout de la patinoire. La glace brillait sous l'éclairage. Il tourna les yeux vers sa droite et il eut la surprise d'apercevoir Burnett et J. C. Savard.

À bien y penser, il n'y avait là rien de bien étonnant : Savard était sans aucun doute le meilleur joueur qu'il ait affronté, et Burnett était un défenseur offensif avec un lancer foudroyant. Charlie avait joué contre eux avec l'équipe de l'école et aussi avec les Rebelles. Ça réglait la question de savoir s'il serait centre de l'équipe 1 : le poste appartenait à Savard, sans discussion, et Corey serait probablement le deuxième centre.

Jen prit de nouveau la parole, une pile de feuilles dans les bras.

— Je vous demande la plus grande attention pendant vingt minutes, et ensuite, vous pourrez aller vous amuser avant de manger.

Quelques-uns, menés par Jake, applaudirent bruyamment, ce qui la fit rire.

— Vingt minutes, pas une de plus. Le coach Clark est très pointilleux sur les horaires. Un conseil : ne soyez pas en retard. Jamais. Bon, maintenant, on va s'intéresser un peu aux horaires, justement.

Elle s'avança vers Charlie.

— Peux-tu m'aider à distribuer les dossiers, s'il te plaît ?

Elle donna à ce dernier et à son voisin une grosse quantité de chemises bleues. Charlie était très mal à l'aise ; il avait l'impression d'être le chouchou. Lorsqu'il fut tout près de la dernière rangée, il entendit un ricanement. Nul besoin de se retourner pour en connaître l'auteur.

— Merci beaucoup, Charles. Je te suis vraiment très reconnaissant, ironisa Jake en prenant un dossier.

Charlie serra les mâchoires et continua son chemin.

— Tu fais ça vraiment bien. Merci, mon brave, renchérit un gars assis près de Jake.

Charlie l'avait remarqué dans le bus ; il plaisantait avec Jake. Mieux valait les ignorer. Que lui importait que Jake se soit acoquiné avec deux ou trois idiots ? De toute façon, seul un idiot voudrait se tenir avec lui.

— On se dépêche ! lança Jen. Distribuez les dossiers et retournez à vos places.

Charlie hésita. S'adressait-elle à lui ?

— Toi, avec le sweat-shirt bleu. Grouille-toi un peu !

Charlie répartit le reste des documents et regagna son siège aussi vite qu'il le put. Celui avec qui il avait fait la distribution lui signala :

— J'ai *vraiment* adoré !

Charlie devina qu'il s'était fait tourmenter, lui aussi.

— J'ai eu quelques compliments sur mon bon travail, comme toi, lui répondit-il.

— Faudrait que je m'applique, j'en ai fait tomber deux, trois.

— J'te donnerai quelques conseils tantôt, assura Charlie.

Les deux garçons éclatèrent de rire.

— Je m'appelle Ben Slogen. Mais mes amis m'appellent Slogger.

— Moi, c'est Charlie Joyce. Et… mes amis m'appellent Charlie.

— Ah ben, alors, j'vais t'appeler Charlie !

La voix de Jen interrompit leur conversation.

— S'il vous plaît, allez à la page 1. C'est votre horaire. À partir de maintenant, considérez ça comme le bout de papier le plus précieux de toute votre vie. Vous aurez amplement le temps de vous amuser avec vos amis et de relaxer, mais ici, on essaye de maximiser le temps que vous passerez au camp. Je ne le répéterai plus, mais soyez à l'heure ! OK ?

— Oui, Jen. Promis.

Tout le monde se retourna. C'était Jake. Et tous ses petits amis riaient. Charlie haussa les sourcils : ce n'était pas drôle du tout. Mais Jen semblait apprécier la plaisanterie.

— Merci mille fois, mon bon monsieur. Je sais que je peux compter sur vous. J'espère que les autres seront aussi coopératifs et ponctuels. Bien. Comme vous pouvez le lire, le lever est à sept heures. Et, oui, c'est sept heures du matin. Que personne n'oublie de régler son réveil !

Charlie dut se retenir pour ne pas soupirer trop fort. Se lever tôt, ce n'était vraiment pas son fort. Chaque jour de classe ou presque, il devait faire un sprint pour arriver à l'heure. Personne ne réagit, alors il jugea plus prudent de se taire.

— Demain matin, on commence par des tests physiques. Ensuite, premier entraînement sur glace l'après-midi. Vous verrez, dans la cafétéria, il y a

48

une liste des noms et des équipes. Et le numéro de la patinoire où vous serez assignés.

Charlie jeta un coup d'œil à l'emploi du temps. C'était… rempli. Du hockey, du hockey, et encore du hockey. Allait-il être à la hauteur? Slogger avait l'air d'un bon joueur, lui aussi. Il était plus grand que lui, il avait les cuisses épaisses comme des troncs d'arbre et toute une paire d'épaules. Charlie le saurait bien assez tôt.

5

Dites au chauffeur d'attendre !

Charlie se tournait et se retournait dans son lit. Il envoya un coup de poing dans son oreiller, puis se mit sur le dos. Il était fatigué. Le couvre-feu était à dix heures, mais il avait été trop excité la veille pour trouver le sommeil. Jen les avait bien mis en garde de ne pas arriver en retard, alors il repoussa draps et couvertures, et se força à se lever. Il valait mieux aller déjeuner, ça le détendrait peut-être. Corey lui avait parlé des tests d'endurance et lui avait conseillé de ne pas trop manger avant. Il aurait dû prévenir Scott, même si celui-ci ne l'aurait sûrement pas écouté.

— Hé, Corey ! On va manger ?

Pas de réponse. Le lit de son colocataire était vide. Il était peut-être dans la salle de bain.

— Yo, Corey ! T'es prêt ?

Toujours aucune réponse.

C'est alors qu'il regarda le réveil : 8 h 55. Le bus partait à neuf heures pour les mener au centre d'entraînement. Comment était-ce possible ? Le cœur battant, Charlie mit son survêtement et se précipita hors de sa chambre. Un autobus démarrait au moment où il émergeait du bâtiment. Il courut en agitant frénétiquement les bras. Le véhicule freina et les portes s'ouvrirent. Jen était en haut des marches, les mains sur les hanches et un sourcil levé.

— Tiens, tiens. Qui voilà ? fit-elle alors que Charlie grimpait dans le bus.

— J'ai… passé tout droit, murmura le retardataire.

— Je vois ça. Pour un premier jour, tu t'arranges pas pour avoir le meilleur départ. Hum… Comment tu t'appelles ?

— Charlie Joyce, répondit-il faiblement.

— Monsieur Joyce, peux-tu me promettre de ne plus être en retard, s'il te plaît ? Ensuite, on va oublier ce petit… incident, OK ?

— Promis ! Le réveil n'a pas sonné. J'étais pas trop sûr de l'avoir bien réglé et…

— C'est bon, on oublie ça. Va t'asseoir.

Elle se tourna vers le chauffeur :

— On peut y aller.

Charlie eut droit à quelques regards désapprobateurs pendant qu'il remontait l'allée à la recherche d'une place libre. Scott et Nick n'étaient pas là.

Avec qui s'asseoir? Au fond du bus, un garçon lui fit signe. C'était Slogger. Charlie lui adressa un sourire plein de reconnaissance et se laissa tomber sur le siège à côté de lui.

— T'aimes ça, vivre dangereusement, on dirait.

— Je sais. C'était pathétique. Je suis chanceux de m'être réveillé.

— Pas si chanceux. En général, les tests sont pas vraiment une partie de plaisir.

Du coin de l'œil, Charlie aperçut une silhouette. C'était Jen, debout tout près de lui.

— Charlie Joyce, tu ne m'as pas remis ton formulaire.

L'estomac du garçon se noua. Il l'avait laissé dans sa chambre.

— Euh… Je pense que je l'ai oublié… J'étais pressé et…

— Charlie Joyce, soupira Jen, j'espère que tu ne vas pas être un cas problème! J'en ai toujours un, chaque année.

Elle sortit une feuille d'un dossier.

— Va falloir que tu fasses des efforts. Tous les autres sont arrivés à l'heure, avec leur formulaire. Et c'est pas parce que j'en ai pas assez parlé hier, n'est-ce pas?

Elle poussa un très long soupir.

— J'en ai un en trop. Remplis-le et donne-le-moi au centre.

— Oui, madame.

—Tu peux m'appeler Jen. Je suis pas encore assez vieille pour "madame".

—Je suis désolé pour tout ça… Jen.

Elle repartit vers l'avant.

—T'as vu sa tête? questionna un gars assis quelques rangées plus loin.

—Ouais, chez nous, ma mère appelle ça une tête de lit, se moqua son voisin.

Parlaient-ils de lui?

Charlie émit un beau gros borborygme. Évidemment, il n'avait rien mangé. Il demanda tout bas:

—C'est si pire que ça? J'veux dire, mes cheveux?

Slogger prit une mine contrite.

—Je suis tellement un gros *loser*, s'apitoya Charlie. Faudrait qu'une fois dans ma vie, je sois à l'heure pour quelque chose.

Aussi discrètement que possible, il tenta de remettre un peu d'ordre dans sa chevelure.

—Groupe 2, allez aux matelas.

Charlie traîna les pieds vers un coin de la grande salle. Il était trempé. Il venait à peine de terminer un long test sur le vélo d'exercice. Il avait les jambes en coton. Il se joignit à son groupe, devant Jen.

—As-tu ton formulaire? lui demanda-t-elle.

Elle fronça les narines et saisit le papier avec deux doigts. Le document était taché de sueur.

— Hum, très appétissant. C'est une bonne journée pour toi, Charlie Joyce.

Quelques ricanements fusèrent derrière lui.

— Mettez-vous deux par deux, ordonna-t-elle. L'un fait des push-ups et l'autre les compte. J'en veux des vrais! La poitrine et le bout du nez doivent toucher le matelas, sinon ça compte pas. Je vous surveille, alors pas de tricherie. Faites-en le plus grand nombre possible pendant deux minutes.

Ils se regroupèrent par paires rapidement. Alors que Charlie essayait de trouver un partenaire, quelqu'un le poussa accidentellement sur un joueur derrière lui.

— Hé! C'est quoi ton problème? grogna le garçon qui toisa Charlie, menaçant.

C'était l'ami de Jake qu'il avait remarqué la veille. Charlie vit Corey ralentir devant les vélos stationnaires. Était-ce lui qui l'avait poussé? Pas le temps de s'attarder à ça, il y avait urgence.

— Désolé, *man*. J'ai… Y a quelqu'un qui m'a poussé… Désolé.

— La prochaine fois, fais attention où tu mets les pieds! s'écria le gars en grimaçant.

— Joyce, tu as l'air de ne pas savoir où aller, remarqua Jen.

Charlie se retourna. «Quoi encore?» se dit-il.

— Je vous ai demandé de vous trouver un partenaire.

Elle montra du doigt celui que Charlie avait heurté.

— Va avec Zane.

Ce dernier le jaugea de nouveau, sans aucune sympathie.

— Commence. Moi, j'suis encore essoufflé.

Charlie aurait bien aimé prendre une pause, lui aussi, mais il n'osa pas protester. Jen tapotait sa tablette, impatiente. Il se coucha sur le matelas et inspira profondément à plusieurs reprises.

— *Go !* cria Jen.

L'ordre le prit par surprise et il commença en retard. Du coin de l'œil, il la vit écrire quelque chose. Sûrement quelque chose sur lui. Il finit par trouver son rythme. Charlie avait pris l'habitude de faire cent tractions tous les matins, alors il s'en sortait bien. Mais bientôt, ses bras commencèrent à trembler. Les deux minutes devaient finir.

— Encore 45 secondes ! annonça Jen.

Impossible ! Il ne pourrait jamais tenir.

— On est en troisième période, les gars. Qui a ce qu'il faut pour être sur la glace ?

Charlie réunit tout ce qu'il lui restait d'énergie et réussit à accomplir vingt tractions supplémentaires. La sueur coulait de son visage et dégouttait sur le tapis. Il n'en pouvait plus. Ses bras et sa poitrine étaient en feu. Certains étaient à genoux ou même couchés à plat ventre. Il voulut en faire dix supplémentaires.

— Quinze secondes!

Il réussit à en effectuer quatre autres et il s'écroula, face contre terre, juste au moment où Jen signalait la fin de l'exercice.

— T'en as fait 81! s'exclama Zane, les yeux ronds. Pas pire pour un maigrichon!

Charlie ne savait pas trop si c'était un compliment, mais il le remercia.

C'était au tour de Zane. Il commença l'exercice sur les chapeaux de roue. Pourtant, au bout de 45 secondes, il s'arrêta net et resta comme ça jusqu'à ce que la première minute soit écoulée. Il se força ensuite à en faire quelques autres, puis il renonça rapidement.

— Combien? réussit-il à demander péniblement.

— Quarante.

— Ajoutes-en quelques-uns, OK? J'suis nul à ça.

Charlie lutta un peu avec sa conscience pendant qu'il attendait l'arrivée de Jen. Devrait-il mentir? Zane n'avait pas été très sympathique avec lui, mais c'était lui qui lui était rentré dedans. Il pensa que ça ne ferait de tort à personne d'arrondir un peu les chiffres.

— Quel partenaire? l'interrogea Jen.

— Zane, précisa Charlie. Y en a fait 65.

En disant ça, Charlie se sentit rougir et son cœur se mit à battre très fort. Il espéra qu'elle ne remarque rien. Heureusement, elle nota le chiffre sans émettre de commentaire et lui tendit son formulaire.

— Allez au banc, là-bas, indiqua-t-elle en pointant l'autre bout du gymnase.

— Qu'est-ce que tu lui as dit ? s'enquit Zane, anxieux, quand elle fut hors de portée de voix.

— J'en ai ajouté 25, chuchota Charlie.

Zane fit une moue de dégoût.

— Wilkensen avait raison. T'es une merde. Tu m'en as mis bien moins qu'à toi, hein ? Garde la tête haute sur la glace, p'tit con. T'as intérêt !

Zane tourna les talons, laissant Charlie complètement médusé. Il sentit une main sur son épaule.

— Pourquoi est-ce que Zane est fâché contre toi ?

C'était Corey. Il respirait avec difficulté et son t-shirt était trempé.

— Ben… euh… J'sais pas trop pourquoi, en fait.

Corey émit un petit sifflement.

— Méfie-toi. C'est un bon déf et il joue salaud. Très salaud. Il va te passer la tête à travers la bande, pis il va trouver ça très drôle. Pas de farce : je l'ai vu faire.

— Merci, répondit Charlie, maintenant très inquiet, ayant manifestement de nouveaux ennemis.

— Pis ? Comment ça va ? voulut savoir Corey.

— Oh, pas pire, pas pire… j'pense. Surtout si j'me fais pas tuer par Zane. Toi ?

— Bof. D'habitude, j'suis bon dans les tests, dit-il en riant avant de se diriger au pas de course vers d'autres appareils.

Mais où trouvait-il toute cette énergie? Charlie se sentait raide et fatigué. Il est vrai qu'il est difficile de sauter du lit et de se précipiter dans une salle d'exercice, surtout l'estomac vide. Il essuya la sueur qui perlait sur son front avec le bas de son t-shirt. Plus qu'un exercice. Allait-il pouvoir l'accomplir sans trouver une autre façon de tout gâcher? Il s'arrangea pour être au premier rang dans ce nouvel exercice. Il avait déjà accumulé assez de retard aujourd'hui pour toute une vie.

— Joyce, attends ton tour! Va en arrière.

Zane tira rudement Charlie par l'épaule et le poussa sur le côté. Quelques joueurs rirent bruyamment. Sous l'effet de la poussée, Charlie tourbillonna sur lui-même. Zane lui fit une grimace et se donna un coup de poing sur la poitrine, façon Milan Lucic. Avant même que Charlie puisse réagir, Trevor appela Zane pour entreprendre l'exercice.

— OK, voilà comment ça se passe, expliqua l'entraîneur. Vous vous placez sur un côté du banc. Au sifflet, vous sautez par-dessus, pieds joints, d'un côté et de l'autre, jusqu'au prochain coup de sifflet. Deux minutes.

Il fit un large sourire.

— Au hockey, on a besoin de deux choses: d'un cerveau et de bonnes jambes. On va s'occuper de vos cervelles plus tard. Là, on se consacre au moteur. Zane, tu l'as déjà fait souvent, montre-leur donc comment ça marche.

Exactement comme pour les tractions, Zane commença en lion, mais son rythme diminua très vite. Au total, il en fit 74.

L'instructeur pointa Charlie du doigt.

— À toi.

— J'gage qu'il va tomber après dix, ricana Zane.

Charlie soupira. Ce gars-là était une vraie malédiction. Il se prépara et se concentra sur l'exercice. Zane avait commis l'erreur de partir trop vite et trop fort. Charlie décida de se ménager et d'y aller plus lentement. La stratégie fonctionna. Après une minute, il avait déjà dépassé le total de Zane.

— T'es à 80, l'encouragea Trevor. Continue comme ça !

Charlie accéléra. Il allait lui montrer, à Zane ! Les quinze dernières secondes, on aurait dit qu'il était devenu fou : ses pieds volaient au-dessus du banc, gauche, droite, gauche, droite…

— Stop !

Trevor posa sa main sur l'épaule de Charlie qui tentait, vaille que vaille, de reprendre son souffle.

— Félicitations ! Tu as le meilleur score aujourd'hui : 155.

Il fit signe au joueur derrière Charlie.

— On va voir si tu peux battre ça.

Mais personne ne réussit. Le deuxième s'était arrêté à 118. Charlie eut l'impression que certains le regardaient différemment, à présent. Pas Zane, bien sûr. Lui, au contraire, mit beaucoup d'efforts pour que tout le monde voie qu'il n'était pas du tout impressionné. Charlie repéra Scott et Nick, assis sur un matelas un peu plus loin, et il alla les rejoindre.

— Alors, comment ça s'est passé ? demanda Charlie.

— Je crois bien avoir établi des nouveaux records du monde à chaque étape, se vanta Scott.

— Des records de médiocrité, précisa Nick.

— Et personne ne pourra me les enlever, ajouta Scott fièrement.

Slogger se joignit à eux.

— C'est en masse d'exercices pour un matin. J'ai quasiment rien avalé au déjeuner, mais là, je pourrais manger un bœuf. Je crève de faim.

— S'il te plaît, parle pas de manger ! gémit Scott. Un bœuf, ça serait juste une p'tite collation pour moi. Je voudrais plonger dans un océan de gaufres, de céréales… d'œufs et de lait au chocolat. Ah !

— Arrête de te plaindre, dit Charlie en se frottant le ventre. J'ai passé tout droit, ce matin, et j'ai rien dans l'estomac. Je vais m'évanouir si j'avale pas quelque chose bientôt.

Il éprouva tout à coup la sensation familière d'être surveillé.

— Hé, Charlie ! Comment ça s'est passé ? l'interrogea Corey avec curiosité.

Charlie se demanda d'où il sortait.

— Euh… OK, j'crois…

— Combien de push-ups ?

Le garçon ne voulait pas le dire devant ses amis.

— Bof, j'me rappelle plus.

— Plus que 70 ?

Les yeux de Corey et sa voix avaient soudain pris un air très sérieux.

— Ouais, p't'êt'... Un peu plus...

— Pis les sauts ? En as-tu fait plus de 152 ?

— Oh, j'sais pas... J'suis trop crevé pour m'en souvenir.

C'était plutôt étrange comme conversation. Charlie voulut changer de sujet.

— Tiens, j'te présente. Scott, Nick, Slogger, voici mon coloc, Corey Sanderson.

Le visage de ce dernier s'illumina.

— Salut ! Content de vous connaître. Comment vous vous êtes rencontrés ?

— Scott, Nick et moi, on va à la même école, et Slogger et moi, on s'est parlé pendant l'orientation, expliqua Charlie.

— Oh, cool !

Il se racla la gorge.

— Quelle position ?

— On est déf, répondit Scott. Mais lui, il est plutôt inefficace, ajouta-t-il en pointant Nick du doigt.

Corey semblait perplexe, comme s'il ne savait pas trop si Scott était sérieux.

— J'suis déf moi aussi, lui apprit Slogger.

Finalement, Corey se mit à rire.

— Content de vous avoir rencontrés, les gars. On se voit plus tard, Charlie.

Corey alla ensuite rejoindre un groupe de garçons que Charlie ne connaissait pas. Nick dévisageait Charlie avec une certaine intensité.

— Quoi ? lui demanda ce dernier.

— Ben, c'était quoi, toutes ces questions ? C'était *weird*, non ?

— J'sais pas. Je le connais pas vraiment. Mais il a l'air d'un gars correct. Peut-être un peu… intense. Mais en parlant de gars *weird*, écoutez celle-là.

Il allait leur raconter la réaction de Zane, lorsque Jen réclama l'attention des joueurs.

— Désolée du délai, il a fallu compiler les résultats. Bien. Cette année, le joueur qui aura les meilleurs résultats va obtenir un bâton Easton. Le coach Clark veut que vous compreniez l'importance d'une bonne condition physique.

Il y eut un murmure parmi les joueurs.

— Alors… Le gagnant est… Charlie Joyce.

Nick, Scott et Slugger applaudirent et lui donnèrent des tapes dans le dos. Charlie, encore une fois, rougit, mais cette fois, c'était de bonheur, surtout après le début de journée difficile qu'il avait connu.

— Mais, malheureusement – et que ceci soit une leçon pour vous tous –, monsieur Joyce a été en retard à l'autobus ce matin et il a oublié son formulaire. Je vous ai pourtant dit, hier, à quel point il était primordial d'être à l'heure. Vous êtes responsables de votre comportement, sur la glace et en dehors. Donc, il a fallu soustraire 50 points au score de monsieur Joyce. Ce qui fait que le gagnant est Corey Sanderson.

L'estomac de Charlie fit une sorte d'aller-retour. Il avait la nausée. Ceux qui entouraient Corey le félicitèrent chaudement. Son sourire semblait trop large pour son visage.

— C'est pas juste, protesta Slogger.

Charlie priait pour ne pas pleurer. Il inspira profondément à plusieurs reprises. Peut-être que Slogger avait raison, mais en ce moment, Charlie ne voyait que lui-même à blâmer. Il avait été tellement idiot de ne pas avoir réglé son réveil correctement!

— Il est onze heures, les garçons, annonça Jen. Qu'est-ce que vous diriez d'aller faire un peu de jogging pour vous ouvrir l'appétit?

Tout le monde se mit à geindre et à rouspéter.

— Pas bien longtemps, assura-t-elle. Juste pour faire sortir le méchant. Bien. Après le lunch, vous aurez une heure de repos. Ensuite, on va sur la glace.

Cette fois, elle eut droit à des applaudissements.

— Maintenant, suivez-moi.

Elle se dirigea vers la porte. Tout le monde l'escorta, ce qui provoqua un embouteillage. Charlie décida d'attendre sagement et se mit en rang. Trevor le saisit par le bras.

— T'en fais pas trop. T'as eu des résultats fantastiques aux tests. Honnêtement, Jen se sentait très mal, mais elle avait tellement répété ses consignes qu'elle pensait qu'il fallait qu'elle réagisse. Mais c'est pas grave. Oublie ça.

Charlie ne savait pas quoi répondre.

— Merci, Trevor. Je vais m'améliorer, pour la ponctualité…

Il baissa la tête.

— Je pense bien que j'ai un problème chronique avec ça. Je suis pathétique.

— On te trouve pathétique, nous aussi, confirma Scott.

— Ça n'arrivera plus, assura Nick à Trevor. On va être comme ses parents.

Se tournant vers Charlie, il lui ordonna :

— Sois un grand garçon et finis tous tes légumes.

— Génial ! dit Trevor.

Il montra la porte. Tout le monde était déjà parti.

— Faudrait peut-être commencer maintenant ? suggéra-t-il.

— Merci, Trevor ! s'écrièrent en chœur les garçons avant de déguerpir.

Une fois la porte franchie, ils tentèrent un *high five* groupé tout en courant, ce qui faillit les faire trébucher. Ils riaient tellement qu'ils arrivaient à peine à avancer et Charlie se dit qu'il était content que ses amis soient là, avec lui. Il n'osait même pas imaginer ce qu'aurait été le camp sans eux.

6

Haut risque

Charlie patinait en dribblant, attendant patiemment son tour. Clark n'avait pas menti : l'entraînement était vraiment intense. Chacun des exercices durait une heure, ou presque, et ils étaient tous très exigeants. Nick et Scott se trouvaient sur une autre patinoire, mais Corey était avec lui. Charlie était encore à bout de souffle alors qu'il attendait son tour pour les un-contre-un. Mais il se sentait bien. Son coup de patin était à la hauteur, et il avait fini chaque exercice parmi les premiers.

Il fut d'ailleurs très surpris de constater qu'il était plus rapide que Corey. Étrange, parce que celui-ci avait l'air si puissant, si en forme, et il avait tellement bien entrepris l'entraînement... Mais il avait levé le pied à mi-chemin. Peut-être économisait-il ses forces ? Après tout, comme il avait participé au camp l'année précédente, les entraîneurs le connaissaient et il n'avait rien à leur prouver. Mais il trimait dur, il ne lâchait jamais.

À l'autre bout de la patinoire, Corey était prêt à partir, et Slogger se plaça à la défense. Charlie avait hâte de voir comment ils allaient s'en sortir. Déjà, la vitesse de Slogger l'avait impressionné. Corey patina à fond de train au centre puis, à environ huit pieds de la ligne bleue, il feinta de la tête vers la gauche et coupa brusquement vers la droite. Slogger, calmement, pivota sur son pied gauche et emmena Corey avec lui sur la bande. On aurait pu croire que ce dernier était fini, mais non, il continua de patiner, déborda Slogger et coupa au filet. Slogger réussit à le rattraper, il lui donna un coup d'épaule, récupéra la rondelle et l'envoya dans le coin. Il se retourna et alla tranquillement rejoindre les autres défenseurs.

Mais Corey n'avait pas dit son dernier mot. Il fonça et récupéra la *puck* derrière le filet, revint dans l'enclave, et réussit un revers parfait qui trompa la vigilance du gardien.

— Y est complètement malade, lança quelqu'un.

Charlie n'eut pas le temps d'évaluer la justesse de la remarque, c'était à son tour. Il démarra rapidement pour prendre de la vitesse, puis il ralentit. Le défenseur, un certain Markus, freina pour s'adapter au rythme de Charlie. Il tenait son bâton d'une main, son autre bras levé perpendiculairement à son corps. Il était assez grand, alors Charlie pensa qu'il était du type *poke check*. En traversant la ligne rouge, Charlie accéléra soudain et déborda à droite, la rondelle sur son revers. Le défenseur bifurqua légèrement, prêt à le mettre en échec. Charlie feignit de couper au centre. Le défenseur mordit et se compromit.

Charlie se mit instantanément en quatrième vitesse et continua de foncer le long de la bande, ce qui laissa le défenseur à contre-pied. À une quinzaine de pieds du but, Charlie coupa vers l'enclave. Il pensa d'abord à feinter un coup droit avant d'y aller d'un revers du côté du gant, mais le gardien s'écrasa en papillon. Le haut du filet était complètement libre. Charlie envoya un tir sec du poignet au-dessus de l'épaule du gardien, côté rapproché. Le défenseur vint se coller à lui après le but.

— Essaye encore ce *move* de fif une autre fois, pis j'te tue, menaça-t-il avant de continuer son chemin.

Le plaisir d'avoir marqué s'évapora instantanément. Le coach Clark les avait prévenus que la concurrence au camp serait féroce, alors pas étonnant que certains perdent un peu la tête.

Charlie eut encore droit à quelques un-contre-un, heureusement pas contre Markus. Il marqua une autre fois à son dernier essai. Le défenseur reculait constamment. Charlie fit donc un tir voilé qui passa entre les jambes du défenseur, puis entre celles du gardien.

Binns donna un coup de sifflet.

— Les noirs, allez au fond là-bas et pratiquez vos lancers. Les rouges, vous restez ici. *Come on, let's go!*

Les joueurs en noir s'élancèrent vers le fond de la zone. Binns patina en cercle autour de la ligne bleue, tout en faisant le décompte.

— Parfait. On a dix joueurs. Je vais vous séparer en paires. Un gars se place en haut du cercle. L'autre reste derrière lui. Je vais envoyer la *puck* dans un coin. L'avant doit aller la chercher en premier et essayer de marquer. L'autre joueur est à la déf. Le jeu s'arrête quand je siffle. Si le déf réussit à prendre la rondelle, vous inversez les rôles.

Il désigna deux joueurs qui se tenaient côte à côte.

— Vous deux! Montrez-leur comment ça marche.

Le duo alla se mettre en position.

— Comment vous vous appelez?

— Simon.

— Gabriel.

— Très bien. Simon, tu commences à l'avant.

Charlie avait déjà remarqué ces deux-là. Gabriel volait littéralement sur la glace et s'avérait un magicien avec la rondelle. Simon aussi était un bon patineur et avait un excellent tir.

Binns envoya le disque dans un coin. Simon arriva le premier et coupa brusquement à sa droite, transportant la *puck* derrière le filet, éloignant Gabriel de son bras libre. En passant près du poteau, il bifurqua et tenta de se frayer un chemin vers l'avant. Gabriel sortit la hanche, forçant du même coup Simon à s'écarter. Il réussit néanmoins à garder le contrôle de la rondelle jusqu'au point de mise au jeu, la fit passer entre ses patins habilement, et décocha un tir sec du poignet. C'était un joli jeu, même si Gabriel réussit à faire dévier le disque sur sa jambière jusqu'au coin de la patinoire. Avant qu'ils aient le temps de se mettre à le pourchasser, Binns siffla.

— Beau jeu de position, Gabriel, salua le coach. Les gars, appréciez : il ne s'est jamais commis. Restez avec votre homme et utilisez votre bâton pour le forcer à déborder. Simon, joli maniement de rondelle et bon tir. Bel effort. Tous les deux.

Binns frappa la glace du bâton et fit signe à Charlie et Zane.

— À votre tour.

Charlie était ravi : il allait montrer une ou deux choses à Zane. C'était vraiment un costaud, mais Charlie se dit qu'il ne devait pas être très rapide. Il allait en profiter pour utiliser sa vitesse afin de le battre. La rondelle arriva dans le coin et Charlie se rua dessus. Comme prévu, Zane n'était pas le plus preste, ce qui donna à Charlie une avance de deux bonnes foulées. Ce dernier récupéra la *puck*, baissa très bas son épaule gauche, fit une feinte du côté droit, puis du revers. Il n'avait cependant pas prévu que Zane serait très exactement au bon endroit, au bon moment, le bâton devant lui, sa main loin de son corps.

Sauf que Zane ne connaissait pas la feinte favorite de Charlie : la rondelle entre les patins et un 360. La partie « rondelle entre les patins » se passa sans obstacle. La partie « 360 » se heurta à un problème de taille : l'épaule de Zane. Charlie en perdit presque l'équilibre. Zane récupéra le disque, s'échappa et tira sur le plastron du gardien.

— Maudite marde ! cria-t-il en frappant la bande de son bâton. J'lui ai shooté en plein dessus !

Binns leva la main et gratifia Zane d'un *high five* sonore.

— Beau jeu. T'as pas paniqué. Pour la *shot*, ben, disons que tu fais bien de jouer à la défense…

Zane rit et rejoignit le groupe. Binns regarda Charlie.

— Belle récupération de rondelle. Belle accélération. Faut que tu fasses attention, par exemple. C'était un jeu à haut risque. Le but de l'exercice, c'est de vous montrer à quel point c'est facile de perdre le contrôle de la *puck*. Si le défenseur vous couvre bien, gardez-la et attendez une occasion de faire un jeu.

Pendant que Binns s'occupait des deux joueurs suivants, Charlie s'attardait sur son mauvais jeu. L'entraîneur avait raison. Il se jura de ne plus jamais sous-estimer quiconque dans ce camp, pas même un crétin comme Zane. Binns ne devait pas être très impressionné : Zane l'avait fait paraître quelconque.

Le coach Clark aussi avait raison : tous les gars ici étaient de bons joueurs et Charlie ne pouvait pas s'attendre à ce que ses feintes de pee-wee fonctionnent avec eux.

Après quelques autres un-contre-un, Binns ordonna :

— Zane et Charlie, vous allez recommencer. Mais maintenant, Zane est à l'attaque.

Charlie savait que, cette fois-ci, il ne devait pas rater sa chance d'impressionner Binns. La rondelle arriva dans le coin et Charlie dépassa Zane sur sa gauche, y allant de courtes enjambées puissantes. Ce geste surprit Zane et ils arrivèrent tous deux sur la *puck* presque en même temps. Là, ce fut au tour de Zane de dérouter Charlie lorsqu'il se poussa légèrement sur le côté pour lui permettre de prendre le disque le premier.

Mais Charlie comprit vite son malheur : Zane l'enfonça dans la bande si brutalement qu'il en vit des étoiles. Les deux joueurs chancelèrent sous l'impact. Charlie, la tête baissée, cherchait à reprendre son souffle. La rondelle était toujours là, sur la bande. Le temps que Zane retrouve son équilibre, Charlie parvint à la mettre sur son revers et à se faufiler entre Zane et le poteau du but. Le gardien avança son bâton pour la harponner, ce qui était le bon jeu à exécuter, qui aurait certainement fonctionné si Charlie n'avait pas transféré auparavant le disque sur son coup droit. Il s'avança de deux enjambées dans l'enclave et balaya la *puck* dans la partie déserte du filet une fraction de seconde avant que Zane lui assène un bon coup de bâton sur l'avant-bras.

Le sifflet retentit et Binns cria :

— Hourra ! Enfin un but ! J'adore !

Il regarda les joueurs.

— C'était *tough*. Mais le hockey, c'est *tough*. Vous avez vu comme Charlie était concentré ? Il a encaissé la mise en échec, il a gardé son calme et il est revenu devant le filet. Zane, faut pas que tu abandonnes après une mise en échec. Les gars tombent pas si facilement, tu sais.

Le duo suivant se prépara à son tour. Charlie avait encore mal au bras et était toujours un peu étourdi de la collision. Mais les éloges de Binns mettaient du baume sur sa douleur. C'était ce qu'il fallait pour marquer un but, ici ? Voilà ce qu'il allait faire. Et peut-être que Zane ne le sous-estimerait pas, la prochaine fois.

7

Le cirque

Biiiip… Biiiip… Biiiip…

Charlie arrêta la sonnerie du réveil, content d'avoir réussi à bien le régler, cette fois, et repoussa les couvertures. Il avait vérifié et contre-vérifié son réveil au moins dix fois avant de se coucher. En s'habillant, il ressentit des douleurs inhabituelles dans les jambes et les épaules. Il se rendit soudain compte que c'étaient des petits souvenirs des exercices de la veille.

— Je me sens comme un p'tit vieux, se plaignit-il à Corey en faisant des contorsions avec son dos et des gestes de moulin à vent avec ses bras pour se désengourdir.

Corey ne répondit pas.

— Debout, Corey! Le déjeuner est dans une demi-heure.

Charlie secoua la tête. Corey l'étonnait toujours. Il était déjà parti. Avait-il seulement dormi ? Charlie finit de s'habiller en vitesse. Il voulait aller frapper à la porte de Nick et Scott, mais il fut devancé.

Toc, toc, toc.

Nick et Scott entrèrent.

— Vous avez dormi à ma porte ? demanda Charlie. J'aimerais ça vous réveiller, moi, *pour une fois*.

— Joyce, sachez que vos minables tentatives de devenir un lève-tôt sont pathétiques et ridicules, et n'entravent en rien ma formidable capacité de me lever au chant du coq, dès que l'aurore point, claironna Scott.

— C'est moi qui t'ai réveillé ce matin, lui rappela Nick simplement.

— Je me corrige : les minables et pathétiques tentatives de Joyce n'entravent en rien ma formidable capacité de me faire réveiller dès l'aube par Nick.

— Y est trop de bonne heure pour entendre tout ça. J'ai besoin de déjeuner avant, protesta Nick.

— Est-il trop tôt pour ceci ? s'enquit Scott en se mettant à imiter des caquètements de poule.

— Où est ton coloc ? demanda Nick à Charlie, alors qu'ils se dirigeaient vers la cafétéria.

— Aucune idée. C'est un vrai fantôme, il disparaît tout le temps.

— Peut-être qu'il a des pouvoirs surnaturels ? suggéra Scott, tout excité. Ça lui permet de se transformer en brouillard et de se glisser sous une porte.

Il marqua une courte pause avant d'ajouter :

— Trop de bonne heure pour ça aussi, hein ?

— On va te dire quand tu pourras parler, OK ? décréta Nick.

Mais Scott poursuivit :

— Joyce, j'sais pas trop, pour ton coloc... Il me fait un peu peur.

Comme Scott s'entendait généralement bien avec à peu près tout le monde, le commentaire déconcerta Charlie.

— C'est un bon gars. Comme j'ai dit, un peu *weird* ; oui, un peu intense, mais c'est un bon gars.

Nick n'avait pas l'air convaincu.

— S'il peut jouer, pas de problème. Mais s'il se tient avec Jake, *too bad*.

Charlie voyait bien que Nick plaisantait, mais il était quand même étonné et un peu inquiet que ses amis aient pris Corey en grippe si rapidement.

— V'là mon coloc ! annonça Scott tout à coup, et il partit au pas de course. Hé ! Sloggermeister ! Attends-moi !

Il donna une grande claque dans le dos de son ami.

— Yo, Slogger ! Tu peux pas aller déjeuner sans nous. Qui va te renseigner sur le délicat équilibre entre les fruits et les fibres, sinon ?

Slogger éclata de rire.

— T'es vraiment débile, commenta-t-il joyeusement.

Ensuite, Scott et lui se serrèrent cérémonieusement la main et la poignée de main se transforma en toutes sortes de signes cabalistiques comme les coups de coude, prises du petit doigt, mains sur la tête, etc.

Scott, Nick et Slogger plaisantèrent tout au long du chemin vers la cafétéria. Charlie les suivait, un peu en retrait, essayant tant bien que mal de participer à la conversation à bâtons rompus. Il avait toujours envié la facilité avec laquelle Nick et Scott se faisaient des amis. Ils n'étaient jamais gênés d'entreprendre des discussions avec de nouveaux venus. Charlie, lui, se retrouvait toujours à court de mots quand il rencontrait des étrangers.

Une longue file d'attente serpentait à la cafétéria. Charlie prit un plateau et se mit en ligne. Pas encore très réveillé, il parcourut la salle du regard. Jen poussait un grand tableau d'affichage vers un des murs. Quelques lève-tôt étaient déjà en train de finir de manger et Corey figurait parmi eux. Il était le point de mire, discourant devant une petite cour de fidèles.

— Mesdames et messieurs !

La voix avait clamé ces mots, ce qui fit émerger Charlie de sa rêverie.

— Pour votre plus grand plaisir, je vais tenter l'impossible sous vos yeux. Admirez le grand Jakerini qui va jongler avec trois œufs en maintenant un bol de céréales en équilibre sur sa tête !

Tout le monde arrêta de parler et les regards se posèrent sur Jake.

— Dix piasses qu'il laisse tout tomber.

— Cent piasses qu'il tombe sur le cul.

Jake rit et fit la révérence.

— Merci pour vos encouragements. Je demande le silence, s'il vous plaît. Et n'essayez pas ça à la maison. Je suis un professionnel. Vous pourriez vous blesser.

— Ou bedon passer pour un débile, fit remarquer quelqu'un.

Jake rit et plaça très délicatement le bol de céréales sur sa tête.

— Tadam!

Le public applaudit bruyamment et certains scandèrent:

— Jongle! Jongle!

Jake prit trois œufs et se mit à jongler. Les spectateurs se déchaînèrent, applaudissant, sifflant et criant. Jake rattrapa les œufs et, à ce moment précis, le bol tomba en éclaboussant son chandail et son pantalon de jogging. Charlie aurait eu pitié de lui si ce n'avait pas été Jake.

Sauf que ce dernier n'avait pas du tout l'air désappointé. Il était hilare, tout comme l'étaient les spectateurs qui se tordaient de rire en se tenant les côtes. Il fit une nouvelle révérence.

— Peux-tu jongler avec des bols de soupe? demanda quelqu'un.

— Ou des spaghettis-boulettes?

— Merci, merci. Je donnerai des représentations toute la semaine.

Jake prit son bol, s'en coiffa comme d'un chapeau, ramassa son plateau et se dirigea vers le comptoir, suivi d'une horde d'admirateurs.

— J'ai toujours pensé qu'il serait mieux dans un cirque, confia Scott à Charlie en se penchant vers lui. C'est rien qu'un clown.

Charlie était trop abasourdi pour arriver à rire. Ça n'avait rien à voir avec le Jake qu'il connaissait, ça. Où était passé celui qui intimidait tout le monde et qui se prenait tant au sérieux? Lui, il n'avait eu le temps de faire connaissance qu'avec Corey et Slogger, tandis que Jake avait l'air d'être ami avec la moitié du camp.

Ne prenant jamais de gros déjeuner, surtout si tôt, Charlie se servit simplement des céréales et un verre de jus d'orange, et alla rejoindre ses amis.

— Alors, qu'est-ce qu'on fait aujourd'hui? voulut savoir Scott.

— As-tu oublié de lire ton horaire? Jen va être très très déçue, déclara Nick.

— Évidemment que je l'ai lu, je faisais un test.

Charlie avait passé presque une demi-heure à se faire expliquer le programme en long et en large par Corey, la veille, alors il le connaissait par cœur.

— D'abord, ils vont nous placer en équipes, récapitula-t-il. Puis on rencontre nos coachs pour qu'ils nous remettent un classeur avec les exercices à faire, les stratégies défensives et offensives… Après ça, on va avoir notre première pratique. Ensuite, lunch, pis une heure de *break* pendant laquelle mes amis coéquipiers vont sans doute en profiter pour faire des sit-ups, des push-ups ou un peu de jogging.

Cette tirade fit rire Scott et Nick, mais Slogger lui lança un regard interrogateur.

— Après, y a une autre pratique. Selon Corey, y a aucune chance qu'on fasse un match interéquipe aujourd'hui. Zéro. Et ensuite, temps libre jusqu'au souper, film à la cafét', pis couvre-feu à dix heures. Et voilà.

Ses trois amis se mirent à applaudir.

— Joyce, si tu mettais autant d'énergie dans tes études, tu serais premier de classe, conclut Scott.

— Attention, attention! lança Jen. J'ai affiché l'horaire du jour et la composition des équipes.

Elle désignait le tableau derrière elle. Tous se mirent à parler en même temps.

— Silence, s'il vous plaît. Laissez Jen finir, leur enjoignit Trevor.

Mais ce fut en vain : les joueurs étaient trop excités et les bavardages continuèrent, un ton plus bas cependant.

— Vous avez encore cinq minutes pour finir votre déjeuner, annonça Jen. Vous aurez besoin de toute votre énergie, croyez-moi. Quand vous aurez identifié votre équipe, allez à la salle de conférence. Pour le reste, c'est assez simple, même pour des joueurs de hockey : l'équipe 1 est au vestiaire 1, la 2 au 2, etc. C'est bon ?

Les voisins de table de Jake trouvèrent bien drôle la plaisanterie de Jen au sujet des capacités intellectuelles des joueurs de hockey et ils s'esclaffèrent bruyamment.

— Après le meeting, poursuivit Jen, qui devrait durer à peu près une heure, vous vous dirigerez vers la patinoire désignée pour l'entraînement du matin.

Elle eut à peine le temps de finir sa phrase qu'une horde de joueurs enthousiastes se ruait vers le tableau d'affichage.

— Pauvres *losers*, laissa tomber Scott. Ils savent pas que je suis le seul à avoir fait l'équipe 1 ?

Charlie faillit s'étouffer avec sa bouchée. Scott avait le don de rendre n'importe quelle situation hilarante.

— Tu te penses comique ? cria Zane en lançant un regard haineux à Charlie, les poings fermés et brandis devant lui, comme s'il s'apprêtait à livrer un combat de boxe. Viens-t'en dehors, on va régler ça entre hommes, sans les coachs pour te protéger, continua-t-il.

Charlie était stupéfait. De quoi parlait-il ?

Zane reprit :

— Viens donc me traiter de *loser* en pleine face, *loser* !

C'était donc ça. Zane avait entendu la blague de Scott, et il ne l'avait pas comprise. En plus, il pensait que c'était Charlie qui l'avait dite.

— Zane, personne se moque de toi. On faisait juste niaiser. Tout est cool.

— Ce qui est cool, c'est que je vais t'étamper, gronda Zane, s'avançant d'un pas.

Le cœur de Charlie s'emballa. Généralement, il n'avait pas peur de la bagarre, mais Zane était vraiment immense. Il remarqua Jake, derrière Zane, qui montrait un sourire mauvais. Était-ce lui qui avait monté le coup ?

— Comme je viens de te le dire, on parlait pas de toi.

Zane se retourna vers Jake.

— Ce gars-là est plus mou qu'un grilled-cheese frette. Tu vas à l'école avec *ça* ?

Jake haussa les épaules.

— *Chill, man.* On est tous des coéquipiers, ici.

Il alla rejoindre Zane et lui tapota le bras pour le calmer.

— Pas la peine de te battre avec lui, vous êtes pas dans la même catégorie de poids.

Les autres gars qui étaient assis à leur table se levèrent et allèrent regarder le tableau d'affichage. Zane se tourna vers Charlie et lui fit un signe de défi : deux doigts pointés vers ses propres yeux, puis vers Charlie.

— Est-ce qu'il veut dire qu'il a besoin de lunettes ?
tenta Scott pour alléger l'atmosphère.

— C'est qui, ce gars-là ? voulut savoir Slogger.

Le cœur de Charlie continuait de battre très fort.

— S'appelle Zane, réussit-il à dire.

— Tu peux l'appeler Zoune, intervint Scott.

Charlie raconta à Slogger «l'incident» survenu
pendant le test d'endurance.

— En tout cas, au moins, on sait qu'il est poche
aux push-ups, commenta Nick, une vraie femmelette !

— Je le vois pas du tout comme une femmelette,
c'est une montagne de muscles, corrigea Slogger.

— Mais y est laid comme un singe, ne put
s'empêcher d'ajouter Scott.

— Bon, allons voir où on joue, suggéra Charlie
qui n'avait plus envie de parler de Zane.

Il y avait encore foule devant le tableau et Charlie
ne parvenait pas à distinguer son nom. Il réussit à
lire, par-dessus l'épaule de quelqu'un, que Nick
était inscrit dans l'équipe 3, puis il vit Scott dans
la liste de la 4. À sa grande surprise, Corey figurait
sur celle de la 3. Jake faisait partie de la 2. De plus
en plus surpris et nerveux, il jeta un coup d'œil à
la dernière liste. Il n'en crut pas ses yeux : *Charlie
Joyce – équipe 1.*

Slogger lui donna un léger coup de coude.

— On est coéquipiers. Si t'es gentil avec moi, je
te ferai peut-être une couple de passes.

Charlie parcourut la liste de l'équipe 1. Savard et Burnett en faisaient partie, bien sûr, tout comme Simon et Gabriel. Il soupira quand il lut le nom de Zane. Celui de Slogger figurait juste en dessous. Scott donna une tape dans le dos de ce dernier et de Charlie.

— Bravo, Joyce! Et toutes mes félicitations, messire Slogger.

Charlie se demanda si Scott était déçu de n'être que dans l'équipe 4.

— Ils vont te monter bien vite, lui assura-t-il. Attends que les coachs te voient jouer. Comment veux-tu qu'ils jugent après une seule pratique?

— T'as bien raison, répondit Scott joyeusement, animé de son optimisme habituel. Ça prend généralement un certain temps avant de comprendre que je suis un génie.

Nick, de son côté, ne semblait pas satisfait.

— Charlie a raison, renchérit-il. Ils vont te monter après la première pratique, c'est sûr.

Charlie sentait bien que Nick aurait voulu que Scott soit avec lui. D'ailleurs, ce dernier n'avait pas l'air très content, lui non plus.

— Pas grave, décida-t-il. Ça va être le fun.

Puis un large sourire éclaira son visage.

— En plus, imaginez quand je vais être choisi MVP au Challenge…

— Paraît que ça veut dire *Most Valuable Princess*, lança Nick.

— Vraiment? s'écria Scott, comme s'il avait été frappé par la foudre. C'est très gênant.

Selon leur bonne vieille habitude, ils continuèrent de plaisanter en chemin vers leurs vestiaires respectifs. Charlie croyait sincèrement que Scott serait promu rapidement à une meilleure équipe. C'était tout un joueur, mais comme il était un arrière «défensif», ça demanderait peut-être un moment aux entraîneurs pour constater son talent.

Scott s'arrêta devant une porte où était fixée une feuille de papier avec le chiffre 4:

— Je sais pas trop où se réunit l'équipe 4. Je crois que je vais rentrer là et demander.

— Moi aussi, je suis perdu, je vais aller frapper là, signala Nick en pointant une porte avec le chiffre 3 inscrit dessus.

Charlie leur fit un geste de la main pour leur dire au revoir et poursuivit son chemin avec Slogger jusqu'à la porte du vestiaire numéro 1. Ils s'apprêtaient à entrer lorsque Charlie remarqua Corey qui attendait un peu plus loin, debout contre un mur près d'une porte de sortie. Il se dit que son colocataire devait être déçu de ne pas avoir été sélectionné plus haut.

— Je reviens tout de suite, prévint-il Slogger. Je vais voir mon coloc.

En fait, Charlie ne savait pas trop quoi lui dire, mais il pensait qu'il pourrait au moins le saluer. En s'approchant, il constata que Corey parlait au téléphone. Il avait une main par-dessus son oreille libre et la tête appuyée contre le mur. Bien que ce soit encore un peu bruyant dans le couloir, Charlie trouvait un peu étrange de le voir recroquevillé comme ça.

— Hé, Corey! lança-t-il.

Ce dernier ne réagit pas; il continuait de parler au téléphone.

— Yo, Corey, appela-t-il un peu plus fort.

Pas de réponse.

Charlie tira sur la manche de son voisin de chambre, qui fut tellement surpris qu'il sursauta. Charlie commença à rire, mais pas longtemps: Corey était pâle comme un linge, comme si tout son sang s'était retiré de son visage.

— Faut que j'y aille. Bye, coupa ce dernier qui éteignit aussitôt son cellulaire.

— Ça va? s'enquit Charlie, mal assuré.

En y regardant de plus près, il crut discerner que Corey venait de pleurer.

— Ça va. Juste un peu enrhumé.

Il fourra son téléphone dans sa poche.

— Peux-tu croire ça? Équipe 3! C't'une *joke*! Tellement nul!

Charlie ne savait pas trop quoi répondre.

— J'étais en train d'expliquer à mon père que les coachs sont nuls, cette année, mais il veut rien savoir. Il m'écoute même pas.

Corey soupira.

— Mais il a raison sur une chose : j'étais pas concentré pendant la pratique. Je pensais que je serais sur la 1 juste parce que j'étais là l'an passé. Mon père me répète tout le temps qu'il faut toujours être intense, à chaque pratique, à chaque *shift*. On doit jamais prendre un jour *off*. Pas à ce niveau-là. Mais avoue que j'étais *hot* au patin, pis j'ai scoré dans les un-contre-un. Sérieux, comment ça se fait que t'es sur la 1, pis moi sur la 3 ? Je veux dire, c'est pas juste.

Charlie se contenta de secouer la tête.

— On se voit tout à l'heure, conclut Corey en tournant les talons.

Son colocataire le regarda s'éloigner, trop abasourdi pour pouvoir prononcer un mot. Quoi qu'il en soit, le garçon parlait beaucoup à son père. La veille, il avait passé une bonne heure au téléphone avec lui avant d'aller se coucher. L'idée de pouvoir discuter avec son père dès qu'on en avait envie rendit Charlie triste, aussi s'efforça-t-il de chasser ces images de son esprit et il se dépêcha de se rendre à son vestiaire. Il ouvrit la porte lentement. Tout le monde était déjà là. Le coach Miller se tenait debout devant un chevalet, un marqueur en main.

— Prends un dossier et assieds-toi, lui intima-t-il, visiblement maussade.

Il ne perdit pas de temps. Dès que Charlie fut assis, il commença :

— Bienvenue dans l'équipe 1. Allez à la page 6, au paragraphe "Stratégies d'échec-avant". Cette année, on va travailler trois stratégies…

Miller s'interrompit pour laisser aux joueurs le temps de trouver la page indiquée.

— Pour ralentir le tempo, ou si votre adversaire est offensivement plus fort que vous, j'aime bien utiliser la méthode 1-4, qui consiste à envoyer un gars profondément en zone adverse pendant que les quatre autres se partagent la zone neutre pour fermer le jeu. Si on a besoin d'un but, on y va à deux hommes en avant, mais la clé du succès, c'est que le joueur qui est profondément dans la zone doit forcer l'adversaire à envoyer la rondelle d'un côté…

Bientôt, Charlie eut la tête qui tournait : il y avait tellement de choses à retenir, tellement de stratégies différentes ! Après l'échec-avant, ce fut le repli défensif, et ensuite, les mises au jeu. C'était difficile à suivre, mais en même temps très excitant. Il avait un aperçu de ce qu'était le hockey à un niveau supérieur et était plus qu'impatient d'en apprendre davantage. Deux semaines. Deux semaines à s'entraîner, à apprendre. « Ça va changer ma vie ! », se dit-il.

8

Les coudées franches

Charlie leva les yeux et aperçut un frisbee qui se dirigeait droit sur lui. Instinctivement, il tendit la main et attrapa le disque volant. Devant la porte de l'aréna, Scott riait, en compagnie de deux gars que Charlie ne connaissait pas.

Ce dernier fit quelques pas et renvoya le frisbee. Il adorait ce jeu ; avec Pudge, ils avaient passé des heures à y jouer, à l'école, pendant les récréations. Le frisbee fendit l'air et un garçon aux cheveux roux, grand et maigre, vêtu d'un sweat-shirt noir, l'attrapa au vol. Il secoua ensuite sa main, comme si ça lui avait fait mal.

— Yo, Joyce ! le salua Scott quand Charlie s'approcha. Ces gars-là ne me croient pas quand je leur dis que j'suis le meilleur joueur au camp. Faut que tu leur dises.

— C'est vrai, confirma Charlie.

Il fit une courte pause, comme s'il réfléchissait, et ajouta :

— On parle de joueurs de hockey ?

Les autres explosèrent de rire. Scott en particulier.

— C'est Peter, indiqua Scott en montrant son voisin du pouce.

Il prit une mine de conspirateur, mit sa main devant sa bouche et chuchota à l'oreille de Charlie :

— Mais je l'appelle Pete.

Il désigna ensuite l'autre garçon.

— Et voici notre superstar, Jared.

Puis il prit des airs de vendeur de voitures d'occasion et poursuivit :

— Messieurs, laissez-moi vous présenter un de mes meilleurs amis, Charlie Joyce.

Il changea de physionomie soudainement et ajouta :

— Je suis une sorte d'idole pour Charlie. Ça me gêne un peu, mais qu'est-ce que je peux y faire ? Il se met à pleurer si je le laisse pas se tenir avec moi.

— Belle présentation, approuva Charlie. Merci de tout cœur.

— Es-tu prêt pour les grosses ligues ? lui demanda Jared.

La question surprit Charlie. À vrai dire, il n'était pas du tout certain d'être prêt.

— Euh... je pense. Miller a l'air intense. On est passés à travers une tonne de trucs, ce matin, pendant la réunion d'équipe. Vous ?

— La base : échec-avant, échec-arrière, échec et mat, répondit Peter. Ça niaise pas, ici. Ces gars-là connaissent leur affaire. Je pense que j'ai plus appris en une heure dans ce camp que pendant tout le reste de ma vie.

Scott se frappa le front.

— C'est maintenant que tu me dis ça! J'étais trop occupé à me passer la soie dentaire, pis j'ai raté le meilleur cours de hockey de tous les temps.

Évidemment, Charlie savait que le hockey était la seule chose que Scott prenait vraiment au sérieux et que, donc, il plaisantait. Il renchérit :

— Tu vas être perdu sur la glace, mais au moins, t'auras pas de carie.

— L'hygiène dentaire est une partie importante et sous-estimée de la vie d'un joueur de hockey, rétorqua Scott d'un ton doctoral.

Au même moment, la porte s'ouvrit brusquement et Jen apparut.

— Est-ce que ces messieurs daigneraient se changer et mettre leur équipement ? L'entraînement est dans vingt minutes.

Elle fit un signe de tête à Charlie.

— Monsieur Joyce, je crois bien que votre patinoire est là-bas.

Puis, en regardant les autres :

— Vous, messieurs, votre patinoire est ici.

— On se voit tout à l'heure, lança Charlie vivement.

— Tu repasseras par notre vestiaire, lui suggéra Scott. Je pourrai t'expliquer comment avoir des dents plus blanches et on parlera de ton problème de mauvaise haleine, si tu veux.

Ensuite, il rentra la tête dans les épaules à la manière d'une tortue et se mit à regarder un peu partout, d'un air ahuri. Puis Pete et Scott partirent, et Charlie leur fit des signes de la main.

— Charlie Joyce, si tu veux bien te donner la peine... Même si j'aime beaucoup tenir les portes ouvertes...

Le garçon avala sa salive et se rua dans le vestiaire. En entrant, il fut saisi par la nervosité; c'était son premier entraînement avec l'équipe 1.

Charlie se changea à toute vitesse. Il voulait aller sur la glace au plus vite, pour essayer de chasser la nervosité. Il laça ses patins avant tout le monde. Il mit ses épaulières, puis fouilla dans son sac à la recherche de ses protège-coudes. Mais où étaient-ils? Son sac était tellement rempli de vieux bas et de chandails usés qu'il n'arrivait pas à les trouver. Sa mère lui répétait pourtant de faire le ménage de son sac. Il posa son casque sur le banc.

— *Let's go*, les gars! cria Trevor en refermant la porte derrière lui.

Quelques joueurs se levèrent.

Charlie continuait de fouiller dans son sac. Trevor rouvrit la porte.

— Heille, je niaisais pas, grouillez-vous !

— *Go, go*, les gars ! cria un joueur en sortant du vestiaire.

— C'est maintenant que ça se passe, les *boys*, hurla un autre.

Charlie commençait à avoir des sueurs froides. Ses protège-coudes n'étaient pas dans son sac. Mais c'était impossible. Ils s'y trouvaient la veille. Les avait-il oubliés dans l'autre vestiaire ? Un instant, il songea à courir là-bas, mais il prit aussitôt conscience qu'il aurait l'air d'un idiot, sans compter qu'il manquerait le début de l'entraînement.

Au même moment, la porte s'ouvrit de nouveau et Trevor entra.

— C'est pour aujourd'hui ou pour demain ? questionna-t-il, visiblement impatient.

— J'arrive ! Faut juste que je rattache mes patins.

— OK, répondit-il, mais dépêche-toi. Le coach Miller n'aime pas les retards.

Charlie bredouilla un « désolé » et fit semblant de serrer ses lacets. Trevor sortit et le garçon se retrouva tout seul dans le vestiaire.

Il ne pouvait pas jouer sans ses protège-coudes. Que faire ? Il fouilla de nouveau frénétiquement dans son sac. Tout ce qui s'y trouvait, c'étaient son chandail et ses bas des Rebelles. Il prit les chaussettes, ce qui lui donna une idée, assez saugrenue, mais c'était ce qu'il pouvait inventer de mieux. Moins d'une minute plus tard, Charlie émergeait du corridor et faisait son entrée sur la patinoire, avec des bas de hockey enroulés autour des coudes.

Il n'eut pas le temps de se réchauffer. Un coup de sifflet retentit et le coach Miller pointa une extrémité de la patinoire de son bâton.

— Mettez-vous sur la ligne, les *boys*. On va y mettre de l'intensité. Les pratiques faciles, c'est fini.

Charlie se demanda si cet homme-là avait déjà souri.

Pendant les trente minutes suivantes, il patina comme jamais auparavant. Dire qu'il trouvait que son ancien professeur et coach des Rebelles, William Hilton, était dur… Miller était un psychopathe. Ils démarrèrent, freinèrent, bondirent, plongèrent et se relevèrent. Ils patinèrent en rond autour des cercles de mise en jeu avec le cou tordu et la tête tournée vers le tableau indicateur. Ils se jetèrent à genoux et firent la course, le perdant étant gratifié de vingt tractions. Lorsque finalement Miller siffla, signifiant la fin de l'exercice, Charlie était complètement à bout de souffle.

— Prochain exercice! cria l'entraîneur en tapant sur son tableau avec son gros feutre. Je suis sûr que vous avez fait ça des centaines de fois. Des un-contre-un en alternance et en continu. L'avant dans le coin contourne le pylône. Arrivé à la ligne bleue, c'était un un-contre-un avec le défenseur. Ensuite, l'avant reçoit une passe provenant du coin, il passe la rondelle au centre qui la lui renvoie. Après ça, un-contre-un contre l'autre défenseur.

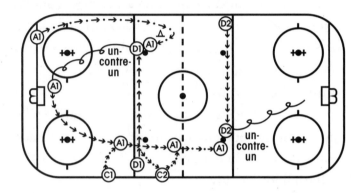

Puis Miller frappa la glace avec son bâton.

— Les défenseurs, séparez-vous en deux groupes. Les avants, allez tous dans le coin droit.

Charlie se joignit donc au groupe d'avants. J. C. Savard était derrière lui, alors il ralentit pour l'attendre.

— Et moi qui croyais que j'étais en forme, grommela Charlie. J'ai l'impression que mes poumons vont exploser.

— Y a des gars qui disent que c'est rien comparé à ce qui nous attend, répliqua Savard. En tout cas, félicitations d'avoir fait la 1.

Charlie se sentit rougir.

— Toi aussi. On fait honneur à Terrence Falls et Chelsea, faut croire.

Chelsea était le nom de l'école de Savard.

— Ouais. Burnett a été pris, lui aussi. Et tiens, regarde, ça, c'est Cameron.

Il montrait un joueur qui commençait le nouvel exercice. Il patinait à toute allure vers le but. Charlie se souvenait de lui : il jouait avec le club de Savard, les Snow Birds. Il feinta sur sa droite, envoya la rondelle sur son revers et déborda le défenseur, comme si de rien n'était.

— Ouch, beau *move*, fit Charlie, admiratif, après que Cameron eut envoyé un tir parfait juste au-dessus du gant du gardien.

Ils étaient les suivants.

— Vas-y le premier, proposa Charlie.

— Nan. T'as gagné le championnat, c'est à toi.

Il y eut un coup de sifflet. Charlie donna un petit coup de bâton sur la jambière de Savard et il s'élança. Le défenseur se mit à reculer aussitôt que Charlie eut contourné le pylône, ce qui ne lui laissa guère d'autre choix que de tirer. Utilisant le défenseur comme écran, Charlie envoya un laser à la Stamkos en pleine lucarne. Bingo ! Encouragé, Charlie reçut une passe précise de Miller et redémarra à fond de train pour le un-contre-un suivant.

Cette fois, le garçon décida de manier son bâton d'une seule main, la rondelle loin sur sa droite. D'habitude, le défenseur jouait la *puck* et Charlie la ramenait entre ses jambes, puis vers sa gauche. Sauf que, cette fois, le défenseur ignora totalement le disque et joua plutôt l'homme. Il réussit à écarter complètement Charlie de sa trajectoire.

— Bien joué! lui lança ce dernier.

Il n'en était pas certain, mais Charlie croyait se rappeler que le gars s'appelait Nathan. Quoi qu'il en soit, le défenseur parut surpris du compliment.

— Ouais, merci, marmonna-t-il.

Pendant que Charlie se repositionnait à la ligne bleue pour attendre de nouveau son tour, Trevor patina jusqu'à lui.

— Hé, Charlie! Attention avec tes feintes. Si tu perds la *puck* en zone neutre, tu mets ton équipe dans le gros trouble. Si le déf mord pas, fais rebondir la rondelle par la bande et assure-toi qu'elle se retrouve au fond de leur zone, OK? Et pas de jeu *fancy*, compris?

Il frappa du bâton les jambières de Charlie et en moins de deux secondes, il était reparti en quatrième vitesse. Incroyable! Charlie n'en revenait pas de son coup de patin. Mais Trevor avait raison. Les défenseurs, ici, étaient meilleurs que ceux qu'il avait connus. Ils ne mordraient pas à de telles feintes. Au moment de s'élancer, Charlie était bien déterminé à suivre à la lettre les consignes de Trevor. Il contourna habilement le défenseur en haut du cercle de mise en jeu, mais le gardien sortit loin de son filet, ce qui ne laissait pas d'angle à Charlie. Le gardien fit un arrêt facile.

C'était Slogger le défenseur pour le un-contre-un suivant. Charlie saisit la passe et patina au centre, fit une feinte de la tête vers la gauche, ralentit pour déstabiliser Slogger et coupa brusquement à droite, du côté de la bande. Slogger pivota en catastrophe pour tenter de lui barrer la route.

En traversant la ligne bleue, Charlie dut ralentir pour stabiliser la rondelle et Slogger en profita pour lui donner un coup de hanche qui atteignit Charlie en haut de la cuisse. Ce dernier tituba et son coude droit frappa durement la baie vitrée. Il continua néanmoins de patiner et de tenter de rattraper la *puck* qui se trouvait à quelques pieds devant lui. Il réussit même à se diriger vers le coin et à couper au filet. Le gardien s'était avancé dans l'enclave. Mais le coude de Charlie lui faisait tellement mal que, distrait par la douleur, il perdit le contrôle du disque en essayant de le ramener sur son coup droit.

— La prochaine fois, j'te laisserai pas passer aussi facilement, le prévint Slogger en souriant, alors qu'il se dirigeait vers le centre de la glace.

Charlie en avait mal au ventre. Il dut s'arrêter un moment, plié en deux, le long de la bande. Évidemment, il avait fallu qu'il perde ses protège-coudes et qu'au premier exercice, il heurte violemment la baie vitrée. Il fit quelques mouvements prudents avec son bras blessé et sentit la piqûre de milliers d'aiguilles dans son coude.

Le reste de l'entraînement fut cauchemardesque. La douleur empêchait Charlie de tirer convenablement. Jamais encore il n'avait été aussi heureux d'entendre le coup de sifflet annonçant la fin de la séance.

Dans le vestiaire, comme toujours, les boulettes de ruban gommé traversèrent la pièce et les joueurs se lancèrent des plaisanteries et des taquineries. La routine habituelle.

— Hé, Zane! Comment on se sent quand on se fait déjouer comme un atome sur un un-contre-un? railla un gars nommé Richard.

Zane leva le menton en l'air et répondit:

— La ferme, le mongol.

Charlie ne se mêla pas aux conversations. La douleur était tellement vive qu'il avait du mal à enlever ses patins. Son bras droit était comme mort. Qu'arriverait-il si la douleur persistait? Il faudrait qu'il rentre chez lui, et tout ça aurait été inutile. En tout cas, Jake, au moins, serait content. Il serait probablement promu sur la 1 à sa place.

— Ça va, ton bras? s'enquit Trevor, visiblement soucieux.

— … fait mal. J'ai frappé la baie vitrée pendant la pratique.

— Oui, j'avais remarqué que tu avais du mal à contrôler la rondelle. Passe donc par l'infirmerie. C'est au bout du couloir, à droite. Je vais aller te chercher de la glace.

Il parut hésiter, puis il demanda doucement :

— As-tu besoin d'un coup de main pour te déshabiller ?

Charlie en aurait eu besoin, mais pas question que les autres voient ça !

— Non, c'est bon, merci. On se voit tout à l'heure.

Ralenti par son coude, il sortit le dernier du vestiaire. Il alla ensuite jusqu'à l'infirmerie. Il frappa à la porte.

— C'est ouvert !

Trevor tenait un sac de plastique rempli de glaçons.

— Assieds-toi sur cette table, je vais regarder ça.

Il se mit à tâter le bras de Charlie.

— Oh, oh, c'est un beau bleu, ça ! commenta l'homme. Mais c'est un drôle d'endroit pour avoir un bleu. Ton protecteur a dû se déplacer. As-tu des protège-coudes de la bonne taille ? Pas trop petits ?

Charlie rougit et baissa les yeux. Il allait vraiment avoir l'air idiot.

— J'ai… ben… j'ai perdu mes coudes… quelque part. Je sais pas où ils sont.

— T'avais pas tes coudes à la pratique ?

Trevor avait presque crié.

100

— J'ai entouré mes bras avec des bas. Pas certain que ça ait bien marché, indiqua Charlie avec un sourire un peu niais.

L'instructeur fit une grimace.

— C'était pas l'idée du siècle. T'as quand même de la chance, parce que je ne pense pas que ce soit très grave. Mets de la glace sur ton coude en retournant au dortoir et je viendrai t'en apporter encore ce soir. Ça va sûrement faire mal demain, mais tu vas survivre.

Il lui tendit le sac de glace et forma ensuite un pistolet avec ses doigts en faisant semblant de tirer sur Charlie.

— Va voir aux objets perdus. C'est à côté de la porte d'entrée, en avant. Les *kids* passent leur temps à perdre des choses. On se demande comment ça se fait qu'ils arrivent à jouer.

— OK. Merci, Trevor. Je vais y aller tout de suite.

— Si tu ne les retrouves pas, fais-moi signe. J'essayerai d'en dénicher une vieille paire quelque part.

Charlie le remercia de nouveau. Il entoura son bras avec le sac de glace. Le froid lui fit du bien. Les objets perdus étaient juste à côté. Comme Trevor l'avait annoncé, il y avait là une tonne de vêtements oubliés. Sur la montagne d'objets, un vieux chandail avait été déposé. Charlie l'écarta et dut se retenir pour ne pas pousser un cri. En haut de la pile trônaient deux protège-coudes. Il les prit et les examina de plus près. C'était étrange : ils ressemblaient parfaitement aux siens. Il les étudia encore, de tous les côtés, sous toutes les coutures. C'était bel et bien les siens. Mais comment avaient-ils pu atterrir là ?

Quelle histoire de fous ! Il était heureux de les avoir retrouvés. Il ajusta le sac de glace sur son bras ; au moins, il avait tout son équipement. Il retourna en courant au vestiaire et enfouit ses protège-coudes dans son sac.

9

Discorde

Charlie mit le capuchon de son sweat-shirt sur sa tête. Nick et Scott venaient de faire la même chose.

— Maudit vent, grommela Charlie. Y est pas censé faire chaud en été?

— Quand je pense qu'ils nous font faire du jogging à neuf heures du matin! J'y crois pas, grommela Nick.

Ils pénétrèrent dans une forêt.

— Je suis affamé, dit Scott qui se frottait le ventre. Pensez-vous qu'il va y avoir un pique-nique?

Charlie avait pris un peu d'avance sur ses amis et il vit le premier ce qui les attendait.

— Je vois une course à obstacles dans votre futur.

Ils poussèrent de petits cris de dépit.

Twiiiit!

— Allez, allez, messieurs, plus vite! cria Jen. Dépêchez-vous pour la course à obstacles. Je suis persuadée que vous avez aimé votre petit jogging matinal.

Quelques huées accueillirent ces derniers mots. La femme haussa les sourcils et poursuivit:

— Séparez-vous en deux groupes: l'un à gauche, l'autre à droite. On va y aller à fond de train en continu jusqu'à ce que je voie de la sueur couler.

Elle enfonça son chapeau sur sa tête.

— Alors, pas de demi-mesures! Et n'oubliez pas: c'est bon pour la santé!

Personne ne daigna rire de sa plaisanterie. Elle soupira.

— Bon, j'imagine que c'est encore un peu trop tôt pour faire de l'humour. Mais vous allez voir, ça va être vraiment amusant. Promis. Et si je suis contente de vous, ça se pourrait bien qu'on fasse une petite partie interéquipe aujourd'hui.

Jen siffla et les deux premiers coureurs foncèrent. Corey était l'un d'eux. Scott, lui, plaisantait avec Peter et Jared. Jake, comme d'habitude, était entouré de sa petite cour d'admirateurs, parmi lesquels figuraient Zane et quelques joueurs des équipes 1 et 2. Charlie décida de tenter une approche. Après tout, il passerait son temps avec eux pendant les deux semaines suivantes; le moins qu'il pouvait faire était d'essayer de sympathiser. Juste derrière lui se tenait un gars plutôt petit, mais aux larges épaules, qui fixait la forêt. C'était un ailier gauche du nom de Richard.

— Comment ç'a été, le jogging? lui demanda-t-il.

Richard se retourna lentement et répondit:

— Ç'a été.

— Difficile d'être motivé de si bonne heure, hein?

— Ouais.

— Étais-tu ici l'an dernier?

— Non.

— Je me demande de quoi ça a l'air, la course à obstacles.

— On verra.

Puis Richard se remit à regarder au loin, mettant ainsi fin à la conversation. Dur, dur! Charlie se demanda si Scott et Nick se débrouillaient mieux que lui.

Twiiiit!

— Charlie Joyce, c'est à toi, lança Jen d'un ton exaspéré.

Il partit comme une balle, bondissant à travers une série de pneus. Après les pneus, il fallait courir sur une poutre à un mètre du sol, sauter ensuite par-dessus une mare d'eau, puis passer encore une série d'obstacles pour finalement grimper à un mur haut de quatre mètres. Une grosse corde y pendait. Charlie l'agrippa et entreprit de se hisser jusqu'en haut, s'aidant de ses pieds contre le mur pour maintenir son équilibre. Mais ce n'était pas tout. Après le mur l'attendaient encore un sentier de pneus, un pont de corde, un long tunnel où il fallait ramper, et pour finir, trois murets à escalader.

Il venait tout juste de retomber derrière le dernier muret lorsque Trevor lui cria :

— Comment va ton coude ?

Charlie lui fit signe de la main.

— Il est engourdi et un peu raide, mais j'ai mis de la glace *nonstop* et ça va quand même pas mal mieux.

Trevor leva le pouce et le garçon courut jusqu'à la ligne de départ. Jen avait raison : c'était amusant. Charlie avait adoré cette course à obstacles et, apparemment, les autres aussi. Tout le monde paraissait de bonne humeur.

Jake vola encore une fois la vedette en commençant le parcours sur les mains. Le clou de sa prestation eut lieu quand il tenta de traverser le sentier de pneus : évidemment, il tomba. Même Charlie dut admettre qu'il était drôle. C'était étrange ; on aurait dit que Jake n'était plus le même, ici. Qui donc était le vrai Jake, le clown du camp ou la grosse brute qu'il ne connaissait que trop bien ?

— Regroupez-vous par équipe, leur ordonna Jen en levant la main. L'équipe 1 à gauche, et la 3 à droite. On va commencer la course de relais. Les équipes 2 et 4 seront les suivantes. Les gagnants de chaque course s'affronteront pour le championnat.

Il y aura un prix, messieurs, et croyez-moi, vous allez vouloir le remporter.

Personne ne semblait très enthousiaste à l'idée d'entreprendre une nouvelle course. Sauf Charlie, mais il se joignit au concert de protestations par solidarité et, surtout, pour se faire bien voir. C'était Corey le premier pour l'équipe 3. Il se tenait très concentré à la ligne de départ, genoux fléchis, regard intense. Il faisait bouger ses doigts lentement.

Au coup de sifflet, Corey détala comme un lapin. Charlie était le quatrième dans la file, tout juste derrière J. C. Savard. Burnett, qui était le premier coureur de l'équipe 1, arriva en trombe à la ligne d'arrivée, avec Corey à ses trousses, soufflant et écumant comme un cheval. Tout semblait difficile pour lui, comme s'il devait lutter désespérément chaque fois qu'il entreprenait quelque chose. L'avance de l'équipe 1 s'accentua avec chaque coureur et lorsque ce fut au tour de Charlie de partir, il avait déjà une demi-longueur d'avance sur son adversaire. Le reste de la course ne fut qu'une formalité. Pendant les célébrations de la victoire, Charlie remarqua Corey, tout seul sur les lignes de côté, plié en deux.

— Ça va, toi ?

Corey se redressa promptement.

— Oh… Salut.

Il gémit et se mit à piétiner l'herbe du bout de sa chaussure.

— Les gars de la 3 sont vraiment pourris! Pas d'efforts; des vrais bébés. Pourquoi je me forcerais, moi, hein? J'comprends toujours pas comment ça se fait que je me retrouve dans cette équipe-là. Comprends-tu ça, toi?

— P't'êt' qu'ils veulent donner une chance à d'autres gars. Ils vont te monter bientôt. Sûrement…

Corey releva la tête.

— Tu penses? T'es sûr? Quand?

Charlie ne savait pas quoi dire. En fait, il était stupéfait de la réaction de son colocataire.

— Euh… ben… Ben, j'sais pas trop… Bientôt.

L'expression de Corey devint tout à coup très soucieuse.

— Y a beaucoup de compétition au centre, expliqua-t-il. Savard est écœurant, pis il paraît que Wilkensen est une bête. J'ai entendu dire qu'ils pensaient à le monter sur la 1 et… et… et puis, y a toi… Ça fait pas beaucoup de place pour moi, ça.

Twiiiit!

— Au tour des équipes 2 et 4, annonça Jen. Les gagnants affronteront la 1.

Corey avait l'air d'avoir dit tout ce qu'il avait à dire. Charlie se racla la gorge et l'informa:

— J'vais aller voir la course. Voir comment mes chums se débrouillent.

Le garçon ne réagit même pas.

Cette course-là fut plus serrée. Le premier coureur de l'équipe 4 était Pete, et il perdit son adversaire dans la brume. Scott conserva l'avance, mais ensuite, l'équipe 2 réduisit l'écart. Les deux équipes étaient presque à égalité quand les derniers coureurs démarrèrent. Jake représentait l'équipe 2 et il réussit à l'emporter. Ses coéquipiers l'entourèrent et le félicitèrent chaudement.

— L'équipe 2, l'équipe des dieux! cria-t-il, bientôt imité par ses amis.

Jen interrompit les festivités:

— Les équipes 1 et 2 à la ligne de départ, maintenant!

Zane prévint ses coéquipiers, d'un ton impératif:

— On garde le même ordre que tout à l'heure!

Personne ne trouva rien à redire. Charlie se demanda depuis quand Zane avait été nommé capitaine, mais il jugea plus prudent de garder sa réflexion pour lui. Il se positionna derrière Savard.

— Laisse-moi me mettre ici.

C'était Jake.

— On est des vieux chums. Ça serait l'fun de courir contre lui. Qu'est-ce que t'en penses, Charles?

Charlie ne mordit pas à l'hameçon et fit comme s'il n'avait rien entendu. Il serra les poings et se prépara. Il allait montrer à Jake ce que Charlie Joyce pouvait faire. Le « Go! » de Jen ramena toute son attention sur la course. L'équipe 1 eut un excellent départ. Au retour de Savard, Charlie avait une avance d'une dizaine de mètres. Il savait que

Jake courait vite, alors il y mit toutes ses forces. Il fit un beau parcours dans les pneus et sauta par-dessus la mare comme un chef. Il se précipita ensuite vers le mur d'escalade.

La corde avait disparu ! Il regarda tout autour de lui, désespérément. Pas question d'escalader un mur de quatre mètres sans corde. Il décida de prendre celle de l'équipe 2.

— Tasse-toi, Joyce. C'est ma corde, gronda Jake en arrivant à toute vitesse.

— Où est la mienne ?

Jake ferma les yeux et secoua la tête.

— Pas mon problème.

Il voulut tirer la corde vers lui, mais Charlie tenait bon.

— Lâche ça, Joyce, et enlève-toi de mon chemin, cracha Jake, menaçant.

— Depuis quand c'est *ta* corde ? riposta Charlie.

— Depuis qu'elle est de mon bord.

— Mais y a juste une corde. Où est passée l'autre ?

Trevor arriva au pas de course.

— Qu'est-ce qui se passe ici, les gars ? interrogea-t-il.

— Rien. À part qu'il triche, expliqua Jake en pointant Charlie du menton. Il m'a poussé et il a pris ma corde.

— Charlie, explique-moi ça, ordonna Trevor.

— J'étais le premier, et quand je suis arrivé au mur, y avait rien qu'une corde, alors je me suis dit que je prendrais celle-là. Pis là, Jake est arrivé, pis y a essayé de me l'arracher des mains.

— T'es *tellement* menteur, l'interrompit Jake.

Trevor les regarda et passa de l'autre côté du mur. La corde manquante vola par-dessus.

— Je pense que je l'ai trouvée, indiqua l'entraîneur.

Entre-temps, Jen et quelques joueurs s'étaient approchés pour comprendre ce qui se passait.

— Trevor, pourquoi as-tu arrêté la course ? s'enquit-elle.

— J'ai rien arrêté du tout. Ces deux-là se disputaient à propos de la corde.

Charlie se rendit soudain compte qu'il la tenait encore fermement. Il la lâcha comme si elle lui avait brûlé les paumes. Jen s'adressa aux deux garçons en même temps :

— Pourquoi ?

— Faut lui demander à lui, répondit Jake. C'est ma corde. Elle est du côté de mon équipe. Il m'a tassé et il voulait pas me laisser monter.

Charlie pencha la tête sur le côté.

— Bien sûr, Jake, je me suis délibérément jeté devant toi.

Scott et Nick éclatèrent de rire. Corey se fraya un chemin parmi les curieux jusqu'au premier rang.

Les yeux de Jake lançaient des éclairs.

— Il m'a pris la corde parce que je le remontais. J'étais en train de le dépasser, pis c'est tout ce qu'il a trouvé à faire.

Il lança la corde sur le mur.

— Je sais que c'est rien qu'une course, mais c'est poche qu'un gars triche.

— C'était supposé être *amusant*, remarqua Jen, consternée.

Elle se tourna vers Charlie :

— Pourquoi lui as-tu pris la corde ?

À présent, elle paraissait irritée.

— Quand je suis arrivé au mur, il n'y en avait qu'une, plaida Charlie.

— La corde de l'équipe 1 était de l'autre côté, expliqua Trevor.

Jen interrogea Charlie.

— Qui courait juste avant toi ?

Désormais, tous les joueurs formaient un cercle autour d'eux.

— C'est moi, mentionna Savard. Et je suis certain que la corde était du bon bord. *Certain.* Je me souviens de l'avoir renvoyée de l'autre côté. J'étais même un peu parano, je voulais vraiment être sûr, alors j'ai vérifié.

Tout le monde se mit à parler en même temps. Jake croisa les bras et regarda Charlie avec un air de défi. C'était le bon vieux Jake, celui que Charlie connaissait trop bien. Le numéro du bon gars

n'avait pas marché une minute. Il mentait pour
mettre Charlie dans le pétrin et ça le faisait rire.
Pendant que ce dernier fulminait silencieusement,
Jen et Trevor s'étaient retirés, à l'écart.

— L'équipe 2 doit être déclarée gagnante! cria
Jake. Joyce a volé notre corde. Affaire classée!

Charlie vit Trevor dire quelque chose à Jen, qui
hocha la tête. Elle s'adressa au groupe:

— Il va falloir rentrer, maintenant. Vous irez
prendre une bouchée à la cafétéria, et ensuite, ça va
être l'heure de l'entraînement. Je sais que cette
course n'avait pas vraiment d'importance, mais il
semble que Charlie ait pris la corde de l'équipe 2.
Donc, je n'ai pas d'autre choix que de déclarer
l'équipe 2 gagnante. Ils auront droit à leur prix.
Mais je vous propose, à tous, d'oublier l'incident.
Et je vous demande, à tous, de ne pas développer
de rancune. Une dernière fois: ce n'était qu'une
course.

Les joueurs de l'équipe 2 poussèrent un rugisse-
ment de triomphe et certains donnèrent de grandes
claques dans le dos de Jake. Markus leva le bras de
Jake à la manière d'un boxeur gagnant.

— Alors, on y retourne en joggant? proposa Jen
joyeusement.

Un chœur de protestations lui répondit.

— Parfait! Tout le monde au pas de course,
allez! Suivez-moi, lança-t-elle en riant et en se
mettant à courir.

Charlie commença à la suivre, en petites foulées, tout en essayant de mettre de l'ordre dans ses idées. Le joueur de l'équipe 2 qui avait couru en même temps que Savard aurait pu avoir fait le coup. Charlie était à la traîne, alors il aurait eu le temps. Il essaya de se souvenir de qui il s'agissait. Brusquement, il eut un flash :

— Nathan !

Charlie avait presque crié. Quelques têtes se retournèrent et des dizaines de paires d'yeux le regardèrent comme s'il était devenu fou. Tout se tenait ! C'était Nathan le coupable et Charlie aurait parié n'importe quoi que c'était Jake qui avait tout manigancé. Donc maintenant, il avait trois ennemis dont il devrait se méfier : Zane, Jake et Nathan, et peut-être bien Markus aussi. C'était évident. Qui d'autre qu'eux ? Jen avait beau dire que ce n'était qu'une course, toute l'équipe 1 allait le blâmer pour la défaite. Évidemment. Il allait être le souffre-douleur, désormais, et ce n'était vraiment pas juste.

— Merci beaucoup, belle job, lui souffla Richard en passant à côté de lui, ce qui confirma ses appréhensions.

Slogger le rejoignit et ajusta son rythme à celui de Charlie.

— T'en fais pas avec ça, *man*. Mauvais *call*. Oublie ça.

Scott et Nick arrivèrent à leur tour.

— J'vois pas comment Jake aurait pu s'y prendre pour faire le coup, réfléchit Nick. Ça doit être Savard. La corde a dû rester du mauvais côté.

— Savard a dit qu'il était certain de l'avoir renvoyée, rappela Slogger.

— J'suis sûr que Jake est là-dessous, affirma Scott.

Charlie ne disait rien. Il préférait ne pas parler de l'« hypothèse Nathan » à Scott et Nick, qui monteraient sur leurs grands chevaux et en feraient toute une histoire. Il en avait par-dessus la tête d'être le centre d'intérêt. Il avait envie de faire profil bas, cette fois. De toute façon, lui, il connaissait le coupable et n'aurait qu'à se tenir sur ses gardes. Il ne voulait pas mêler Savard à tout ça. Il le vit justement qui courait un peu plus loin, avec Burnett et Cameron, et il décida d'aller les rejoindre.

— Hé, J. C.! Ça va?

Savard et Burnett arrêtèrent leur conversation et se retournèrent. Ils n'avaient pas l'air de très bonne humeur.

Charlie se sentit rougir.

— Désolé pour tout ça… Toute cette merde… J'veux dire… je voulais pas… ben… J'veux dire… Je sais bien que t'as pas oublié de renvoyer la corde.

Il se sentait stupide, mais il ne trouvait pas les bons mots.

— J'suis désolé, conclut-il.

Savard secoua la tête.

— Pas grave. Comme elle l'a dit : c'était juste une course.

— Mais c'est quand même *weird*, s'indigna Charlie. J'te jure qu'il y avait qu'une seule corde quand je suis arrivé au mur et…

— Oublie ça, le coupa Savard. Tout est cool.

Il n'ajouta rien et le silence qui suivit mit Charlie encore plus mal à l'aise. J. C. finit par déclarer :

— OK, c'est bon, on se voit plus tard.

Ils hochèrent la tête et Charlie alla rejoindre Slogger, Scott et Nick un peu plus loin. Ils semblaient tellement préoccupés et sérieux que le garçon s'enferma dans sa gêne. Il ne voulait surtout pas les entraîner dans son propre marasme.

— C'est pas grave, les gars. Chaque fois qu'y a d'la chnoute, Jake est jamais loin. Pas besoin de se gratter la tête longtemps. Je finirai bien par découvrir comment il s'est arrangé pour ce coup-là. Mais en attendant : pas de stress. En plus, rappela-t-il en fixant Scott, c'est l'heure de la collation !

— J'aime ta façon de voir les choses, Joyce, confia Scott. J'ai tellement faim que je pourrais manger le buffet en entier.

— Bon, ben, on ferait mieux d'y aller, sinon il restera plus rien, avertit Charlie. Pèse sur la suce, *man !*

Il partit au pas de course, ses amis sur les talons.

— Maudits soient tous ceux qui courent plus vite que moi, haleta Scott, à bout de souffle. Qu'ils brûlent en enfer! réussit-il à ajouter entre deux respirations.

Mais il accéléra comme une torpille, tout en continuant de lancer quelques malédictions et diverses insultes, et les devança bientôt tous.

— Pourquoi est-ce qu'il ne courait pas comme ça pendant la course? s'étonna Charlie.

— Il ne voulait pas dévoiler son jeu devant Jen, suggéra Nick.

Et, justement, ils croisèrent celle-ci sur le sentier menant à la cafétéria.

— J'apprécie l'effort, les gars. Gardez-moi de quoi manger!

— Impossible si Scott passe avant nous! répondit Charlie.

Jen rit et leur souhaita bonne chance.

Ils arrivèrent à la cafétéria et Charlie s'empara d'une pile de plateaux. Il déclara, d'un ton solennel:

— Nous avons gagné la course la plus importante. Attrapez!

Et il lança chaque plateau comme il l'aurait fait avec un frisbee.

— Un seul? s'indigna Scott, incrédule. Tu veux que je meure d'inanition?

Scott prit trois bananes, du fromage et des craquelins, deux tranches de pain et deux petits yogourts. Il ajouta, pour faire bonne mesure, une grosse grappe de raisin et une orange.

— T'avais pris ton déjeuner, n'est-ce pas? supposa Slogger.

Scott appuya son index sur sa poitrine et répliqua, comme s'il était au beau milieu d'une réflexion très profonde:

— Je ne sais plus, au juste… Je pense qu'il serait plus prudent que je mange maintenant, au cas où j'aurais oublié.

Charlie était à chaque fois étonné par la quantité de nourriture que Scott pouvait absorber. Et pourtant, lui-même ne donnait pas sa place. Un sentiment désagréable ne le quittait pas, cependant, alors qu'il était à table. Jake, c'était une chose, il pouvait s'en occuper. Mais s'il s'était acoquiné avec une bande de gars, ça devenait plus compliqué. Ils pourraient lui faire vivre l'enfer de bien des façons.

Il finit de manger sa banane. Si seulement Pudge avait été là! Lui, il aurait su quoi faire. Pudge était génial pour trouver des solutions à ce genre de problèmes. Et ç'aurait été bien d'avoir un ami de plus avec lui. Évidemment, il pouvait toujours compter sur Nick et Scott. Slogger avait l'air d'un bon gars, lui aussi, et Charlie trouvait Corey sympathique, même s'il était parfois étrange. Il prenait vraiment les choses trop à cœur, mais Charlie se rendait bien compte que son père lui mettait beaucoup de pression pour qu'il brille au camp. Sans parler de la présence des recruteurs. Oui, il comprenait pourquoi Corey prenait les choses au sérieux.

Quoi qu'il en soit, ça signifiait que Charlie avait quatre alliés contre Jake et sa bande, sans compter qu'il ne devait pas être très populaire auprès des membres de l'équipe 1 en ce moment. Tout ça n'augurait rien de bon.

10

Giddy up, poney !

Charlie repoussa son plateau et s'appuya au dossier de sa chaise.

— Une bouchée de plus et j'explose.

— Alors, tu ne manges pas ta pomme ? voulut savoir Scott.

Charlie la fit rouler sur la table jusqu'à son ami qui fit une petite révérence avant de mordre dedans.

Trevor frappa sur la table avec sa cuillère.

— C'est l'heure d'attribuer le prix à l'équipe 2 qui a remporté l'épreuve de course à obstacles, annonça-t-il.

Le malaise de Charlie augmenta. Il n'avait vraiment pas besoin qu'on lui rappelle cette course.

— J'te gage que l'équipe 2 va être dispensée de course demain, prédit Nick.

— Ou alors, ils auront peut-être le droit de dormir tard, ajouta Slogger.

La pièce devint silencieuse.

— Ce n'était sans doute pas la course la plus longue, nota Trevor, ce qui provoqua quelques réactions parmi les joueurs, mais il y a un gagnant et le prix est… amusant. Bon, quoi qu'il en soit, le voici : chaque membre de l'équipe 2 aura le grand privilège de se faire transporter jusqu'à l'aréna. Transporter… sur le dos d'un membre d'une autre équipe ! Et, privilège des privilèges, chaque membre de la 2 pourra choisir sa… monture !

Tous les joueurs assis à la table de Jake poussèrent des cris de joie, s'échangeant *high fives*, tapes dans le dos et autres démonstrations d'enthousiasme. Les clameurs de triomphe augmentèrent et Jake se mit à scander :

— Des-truc-tion ! Des-truc-tion !

Bien vite, les autres se joignirent à lui.

— OK, OK ! Choisissez vos chevaux, proposa Trevor en riant.

Il paraissait trouver ça bien drôle. Charlie, lui, était malheureux comme les pierres et avait mal au ventre.

Jake hurla :

— On veut la 1 !

Et il se mit à scander, avant d'être suivi par la cafétéria tout entière :

— La 1 ! La 1 !

Si ce n'était pas déjà fait, désormais, tous les joueurs de l'équipe 1 allaient vraiment détester Charlie. Il crut sérieusement qu'il allait vomir.

La voix de Jen s'éleva par-dessus le chahut :

— Messieurs ! Avant de partir, veuillez jeter un coup d'œil au tableau d'affichage. Il y a eu quelques changements dans les équipes. On a voulu mieux les équilibrer. Les instructeurs m'ont demandé de vous préciser qu'il ne s'agit pas de rétrogradations, et encore moins de punitions. Les entraîneurs croient seulement que certains joueurs s'épanouiront mieux dans une autre équipe. Voilà, c'est tout.

Après cette annonce, les joueurs se levèrent dans un véritable brouhaha. Avant de partir vers l'aréna, ils firent tous le détour par le tableau. Charlie croisa des visages joyeux et d'autres déçus.

Jake s'avança vers la table de Charlie.

— J'ai les jambes en compote, Joyce. La course m'a tué. J'aurais besoin d'un *lift* jusqu'à la patinoire. Prêt ?

Avec un petit air hautain, il se fraya un chemin jusqu'au tableau d'affichage. Charlie le vit ensuite échanger des *high fives* avec Zane et Markus. Ce n'était pas une surprise. Charlie le savait depuis l'annonce de Jen, c'était écrit dans le ciel : *Jake Wilkensen – équipe 1*. Il alla à son tour consulter le tableau. Il constata que Corey avait été « monté » sur l'équipe 2, à la place de Jake. Bon, au moins, ça allait lui remonter le moral.

Justement, celui-ci apparut à ses côtés.

— Wow ! C'est cool !

Charlie pensa qu'il parlait de sa promotion sur l'équipe 2.

— Ouais! Super! approuva-t-il. Tu le mérites.

Corey se rapprocha un peu plus. Il glissa, sur le ton de la confidence:

— Je le savais. T'avais raison, c'est bien de laisser une chance à tout le monde. J'ai dû avoir l'air vraiment nul, hier, une vraie matante! Désolé. Je te garantis que je vais me retrouver sur la 1 bientôt.

En se dirigeant vers la sortie, Corey donna un coup de coude à Charlie.

— Savard, il est comment? Est-ce qu'il est si bon que ça? En tout cas, y est pas bien gros.

— D'après moi, c'est un des meilleurs joueurs du camp, déclara Charlie.

Le visage de Corey s'assombrit.

— Mais il est pas gros, *right?* J'veux dire… Qu'est-ce qu'il va pouvoir faire contre moi dans les coins, hein? Ou devant le but…

Il se mit soudain à fouiller dans sa poche et en sortit son cellulaire.

— Attends une seconde, Charlie. C'est mon père…

Sa physionomie changea du tout au tout.

— Ouais, p'pa, imagine: ils m'ont mis sur la 2… Ouais, aujourd'hui… Ce matin… Oui… Faut que j'aille à la pratique, j'te rappelle… Bye.

Il remit son téléphone dans sa poche.

— J'me dépêche. J'voudrais patiner un peu avant la pratique. On se voit tout à l'heure.

Et Corey partit en courant vers l'aréna.

— Excuse-moi, Charlie, je voudrais te dire deux mots. Attends-moi.

C'était Jen : Charlie s'immobilisa et l'attendit.

— Je ne tiens pas à faire tout un plat de ce qui s'est passé ce matin, mais les problèmes commencent à s'accumuler, Charlie. Retard au test, oubli du formulaire, et maintenant, cette histoire-là... Les instructeurs se demandent s'ils devraient te changer d'équipe pour t'enlever un peu de pression et te permettre de te concentrer davantage. Penses-tu que ça pourrait t'aider ?

Charlie secoua la tête. Tout ça lui semblait tellement injuste. Oui, tout ce qu'elle lui reprochait était exact, mais rien n'était arrivé par sa faute ! Ça ne servait à rien de protester, il ne ferait que passer pour un braillard.

— Je... je vais m'améliorer. Je sais que, des fois, ben... mes affaires commencent mal... j'veux dire, lentement. Les retards, tout ça...

Il se demanda si elle était au courant pour les protège-coudes.

— Mais c'est fini. Je vais m'améliorer. Vraiment.

Elle plongea son regard dans le sien.

— Tu es un gentil garçon, Charlie, et on veut tous ton bien. Le YEHS est conçu pour les athlètes d'élite et si c'est trop de pression pour toi, dis-le-moi et j'essayerai de t'aider. Tu n'es pas obligé de rester sur l'équipe 1 si ça ne te convient pas. Tu n'as rien à prouver.

Jen continuait de le regarder dans les yeux, attendant manifestement une réponse.

— Non, non. Ça va aller… Ça va bien. Je me sens mieux, là. Je m'adapte au rythme. Je ne ferai plus d'erreur, c'est promis.

Elle n'avait pas l'air tout à fait convaincue.

— Très bien, Charlie. On va y aller, maintenant.

Celui-ci était heureux que cette conversation embarrassante se termine. Il salua Jen et, en chemin, il entendit des cris et des rires venant d'un peu plus loin. Le transport à dos de cheval devait avoir commencé. Ce serait sûrement pénible.

Effectivement, ça avait commencé. Déjà, certains joueurs de l'équipe 1 étaient en route vers l'aréna. Les membres des équipes 3 et 4 avaient formé une haie d'honneur où devaient passer les cavaliers et leurs montures. Tout le monde applaudissait et chahutait les pauvres joueurs qui transportaient les vainqueurs. Clark, Miller et Binns semblaient trouver ça très comique et ils lançaient des encouragements enjoués.

— Monsieur Joyce ! lança Jake de façon grandiloquente. J'attendais mon noble destrier avec impatience. Hâtons-nous, voulez-vous? Il me serait désagréable d'arriver en retard à mon rendez-vous.

Charlie serra les mâchoires et se pencha sans un mot. Il n'allait pas lui donner le plaisir supplémentaire de constater à quel point cette situation le rendait malade. Jake sauta sur son dos.

— *Giddy up,* poney! Grouille-toi, je veux gagner! s'écria Jake joyeusement, tout en donnant une claque sur le derrière de Charlie.

Tout le monde riait de la prestation de Jake. Tout le monde, sauf Charlie qui, lui, ne la trouvait pas drôle du tout. Une fois la haie d'honneur passée, Jake, qui était lourd, fit en sorte que la course soit vraiment pénible pour Charlie. Le pire, ce ne furent pas les coudes enfoncés dans son dos, mais toutes les bêtises dont son ennemi juré ne cessa de l'abreuver tout au long du parcours.

— Joyce, c'est tellement dommage, l'histoire de la corde. Je me sens *tellement* mal, surtout depuis que t'es devenu mon cheval. Ça crée des liens.

— Y avait juste une corde. J'étais le premier. Je te l'ai pas piquée, articula avec peine Charlie, qui commençait à fatiguer sérieusement.

— C'est vrai. Sauf que personne le sait. C'est ça la beauté de la situation. Les gars de la 2 m'adorent parce que j'ai gagné la course pour eux. Maintenant, j'suis sur la 1, à laquelle j'appartiens, et tous les gars de la 1 pensent que t'es juste un tricheur et une p'tite merde. Même Savard (il me l'a dit). La seule chose de plate, c'est qu'on soit coéquipiers. Mais tu sais quoi? Je suis certain que tu vas te débrouiller pour te faire rétrograder. J'ai confiance. On ne sait jamais ce qui peut arriver, hein, Joyce?

Il se mit à rire, ce qui confirma tous les soupçons de Charlie qui, une fois arrivé à l'autre bout du champ, se débarrassa de son cavalier assez rudement.

— Un jour, tu vas payer pour tout ce que tu as fait, et j'espère être là pour voir ça, maugréa Charlie. À partir d'aujourd'hui, qu'est-ce que tu dirais qu'on ne s'adresse plus la parole? Tu sais, t'es pas aussi intéressant que tu le crois.

À ces mots, il tourna les talons et partit. Entre-temps, Markus et Zane étaient arrivés.

— Qu'est-ce qu'il a dit? demanda Zane à Jake.

— Hum… euh… Ben, il a dit qu'il avait un gros bobo sur le genou et que ça faisait vraiment maaaal!

Charlie continua de marcher. Jake s'en tirait toujours. Jamais responsable; et personne pour le remettre à sa place. Alors qu'il arrivait à la porte de l'aréna et posait la main sur la poignée, elle s'ouvrit toute grande et la tête de Slogger apparut.

— T'as survécu? s'enquit-il en grimaçant.

— Moi oui, mais pas ma fierté. Toi?

— J'ai transporté Nathan. Pas aussi gros que Jake. Ç'a été plutôt facile, mais espérons qu'on perde pas trop de challenges quand même.

Charlie pâlit.

— Je devrais faire des excuses aux gars. Ils doivent avoir envie de me tuer.

Slogger sembla surpris.

— Je voulais pas dire ça.

Il baissa les yeux un instant, puis les releva vers Charlie.

— Y en a qui tombent dans le panneau de Jake. Mais pas moi. Il joue au gars cool, mais je vois clair dans son jeu. On va voir s'il est aussi *tough* sur la glace.

— Jake est un maudit bon joueur, affirma Charlie. Probablement un des meilleurs du camp.

Slogger secoua la tête.

— J'te comprends pas, Charlie. Scott m'a raconté : les Rebelles, l'équipe de votre école, toute la merde que vous avez dû endurer à cause de lui… Et puis là, tu me dis que c'est un grand joueur…

Charlie n'eut d'autre choix que de rire.

— OK, OK. "Grand joueur", c'est peut-être un peu fort. Qu'est-ce que tu penses de "pas pire pantoute" ?

— C'est un peu mieux.

Ils entrèrent tous les deux dans l'aréna.

11

Sac à malice

Jen faillit les percuter en dévalant les marches. Elle était hors d'haleine et, pour la première fois depuis que Charlie la connaissait, elle semblait vraiment fâchée.

— Excusez-moi, messieurs, avez-vous vu quelqu'un descendre l'escalier ?

— Euh… non. On vient juste d'arriver, répondit Charlie.

Il pointa Slogger du doigt.

— On était occupés à faire les chevaux.

Il s'attendait à ce qu'elle rie, mais elle avait une tête d'enterrement.

— Dites à tout le monde que le coach Miller a perdu sa bague de la coupe Stanley. Il l'avait laissée dans le bureau des entraîneurs, ce matin.

Elle ferma les yeux brièvement et, les deux mains en l'air, elle ajouta :

— Vous êtes bien sûrs de n'avoir vu personne?

— Je suis arrivé juste avant Charlie, précisa Slogger. C'était désert.

Elle soupira.

— Très bien. Allez vous changer.

— Est-ce qu'on peut t'aider à la chercher? proposa Charlie.

— Non, merci. Il faut que vous alliez vous préparer.

Elle grimpa les marches deux par deux et passa la porte en coup de vent.

— Penses-tu que quelqu'un l'a vraiment volée? demanda Charlie à Slogger. Ça paraît fou! Voler une bague de la coupe Stanley! En plus, le gars pourrait même pas la porter, et…

Subitement, il secoua la tête: ça lui paraissait inconcevable.

— T'imagines? Un gars qui entre dans la chambre des coachs, qui se met à fouiller, qui pique la bague… *Man*, Miller va péter sa coche.

Slogger ouvrit la porte du vestiaire des joueurs.

— Hé, les gars! Vous êtes au courant pour Miller? Jen vient juste de nous raconter qu'il s'est fait voler sa bague de la coupe Stanley.

— Va donc… s'écria Simon. Pour vrai? J'te crois pas.

— Où t'as entendu ça? s'enquit Cameron.

— J'viens de vous le dire: c'est Jen qui nous l'a annoncé, répéta Slogger.

130

Jake arriva sur ces entrefaites.

— C'est quoi qui se passe? interrogea-t-il en lançant son sac sur un banc.

— Jen a dit que Miller s'était fait voler sa bague de la coupe Stanley.

Les yeux de Jake devinrent ronds comme des billes et il eut un rire incrédule.

— Wow! Sérieux? Combien ça peut valoir, ça? Des milliers de dollars, c'est sûr.

— Au moins 20 000, affirma Zane.

— Ben non, pas tant que ça, le reprit Jake. Arrive en ville, chose!

— Ouais… ben… j'm'en fous complètement, maugréa Zane en se dirigeant vers l'autre coin du vestiaire.

Slogger alla s'asseoir et Charlie se mit à la recherche de son sac d'équipement. Les autres discutaient de l'histoire de la bague volée. Jake menait le jeu, y allant d'hypothèses saugrenues et spéculant sur le prix que le voleur pourrait en tirer. Charlie, lui, se sentait parfaitement ridicule d'être là, au beau milieu de la salle, à la recherche de son sac. Mais où pouvait-il bien être? Il fit un nouveau tour d'horizon.

— Vas-tu nous faire un *pep talk*, Joyce? ironisa Jake.

Charlie pouffa, mais il savait que son rire sonnait faux. En réalité, il commençait à paniquer. Il avait probablement dû laisser son sac dans un autre vestiaire.

— Ouais, peut-être tout à l'heure, éluda-t-il avant de tourner le dos et de sortir.

À travers la porte qui se refermait lentement derrière lui, il entendit des joueurs s'esclaffer. Il s'appuya contre le mur et ferma les yeux. Pourquoi n'avait-il pas tout simplement dit qu'il ne trouvait pas son sac? Il avait eu l'air – encore une fois – parfaitement stupide, et Jake s'était – encore une fois – moqué de lui.

À mesure qu'il inspectait les autres vestiaires, il s'affolait de plus en plus. C'était insensé : ils s'étaient entraînés la veille et avaient utilisé le premier vestiaire dans lequel il était entré. Il n'y avait aucune raison que son sac n'y soit plus. Charlie erra à travers le lobby, complètement désemparé.

Trevor se tenait non loin, devant les machines distributrices de friandises.

— Tu devrais pas être en train de te préparer, toi ? lui demanda-t-il, un sourcil levé.

Charlie était à court d'arguments, c'est pourquoi il essaya de prendre un air détendu, pour répondre nonchalamment :

— Ouais… Mais je cherche mon équipement…

Trevor haussa les deux sourcils, cette fois, et scruta le garçon comme s'il était un extraterrestre.

— As-tu pensé à regarder dans le vestiaire ?

— Ben, oui ! Il est pas là.

— Mais où pourrait-il être, sinon?

— J'aimerais bien le savoir, signifia-t-il faiblement.

— Bon, d'abord la bague de Miller, et puis,
maintenant, ça…

Trevor leva les bras et les laissa retomber lourdement, en signe d'impuissance.

— T'es allé voir dans chaque vestiaire?

Charlie hocha la tête.

— Écoute, Charlie, ça ne va pas. Comment
as-tu pu perdre ton équipement?

Le fautif fixait le plancher.

— Bon, OK. Viens, je vais t'aider à le chercher,
proposa Trevor doucement. Il doit pas être bien loin.

Dix minutes plus tard, ils avaient fouillé partout: le bureau des entraîneurs, l'infirmerie, les
locaux à l'étage, sans compter un entrepôt dont
Charlie ne soupçonnait même pas l'existence. Son
état de panique atteignit un sommet quand il vit
ses coéquipiers arriver sur la glace. Trevor paraissait
presque aussi affolé que lui.

— Il faut vraiment que j'y aille, signala l'homme.
Je m'occupe des exercices de la 1, aujourd'hui.

Il semblait extrêmement préoccupé.

— Trouve Jen et demande-lui de t'aider. Désolé,
Charlie, mais il faut que j'aille mettre mes patins.

Il courut vers son vestiaire et abandonna le
garçon, tout seul au beau milieu du lobby. Comble
de malheur: Miller et Binns, accompagnés de Jen,

descendaient l'escalier. Ils semblaient tous vraiment en colère. À mi-chemin, Jen pivota brusquement et apostropha Charlie.

— Peux-tu m'expliquer ce que tu fais là?

Ses yeux lançaient des éclairs.

— J'ai perdu mon équipement…

— Comment peut-on *perdre* son équipement?

— Je sais pas, avoua-t-il d'un ton misérable. J'ai cherché partout avec Trevor et… je…

— Je gage que la bague est dans ton sac, le coupa Jen.

— J'ai pas volé la bague! se défendit-il en criant presque.

— Non, non, j'ai pas dit ça! Excuse-moi. Je suis fatiguée.

Elle massa son cou et reprit, sur un ton plus aimable:

— Bon! Très bien. Où as-tu cherché jusqu'ici?

Charlie lui raconta leurs recherches et Jen hocha la tête, regarda à droite et à gauche, et conclut enfin:

— Eh bien, t'as fouillé partout! Il doit être dans un des vestiaires d'une autre patinoire. Quelqu'un a dû le prendre par erreur.

— Mais pourquoi quelqu'un aurait pris mon sac?

— As-tu une meilleure idée, Charlie Joyce?

Celui-ci avala sa salive et répondit «Non» piteusement, puis suivit Jen dehors.

Tête baissée, se sentant observé par tout le monde et piteux, Charlie patina à toute vitesse jusqu'au bout de la patinoire pour aller rejoindre les autres. Il avait raté la moitié de l'entraînement. Et il était toujours aussi préoccupé par toute cette histoire. Jen avait fini par trouver son sac dans un vestiaire désert de la patinoire numéro 3. Pour augmenter encore sa nervosité, le coach Clark l'appela aussitôt qu'il franchit la ligne des buts. Charlie ne savait pas que l'instructeur dirigerait l'entraînement.

— Charlie Joyce, viens donc par ici, s'il te plaît. Vous autres, placez-vous en demi-cercle derrière moi. Je vais vous montrer quelque chose.

Le garçon, obéissant, alla se mettre devant le filet, redoutant la suite.

— On m'a dit que tu avais perdu ton équipement ? s'enquit Clark.

— Oui. Il s'est retrouvé… j'sais pas comment… dans un vestiaire de la 3. Désolé.

Le regard de l'entraîneur s'assombrit.

— C'est très étrange, proféra-t-il lentement.

Pendant ce temps, les joueurs s'étaient rassemblés, comme on le leur avait demandé. Au grand soulagement de Charlie, Clark n'insista pas sur son équipement disparu.

— Je suis persuadé que le coach Miller vous a déjà abondamment parlé de l'importance de la présence devant le but. Dans mon temps, on disait : voiler la vue du *goaler*. Quoi qu'il en soit, j'ai remarqué que les avants avaient tendance à rester immobiles, ce qui facilite la tâche des défenseurs.

Il s'adressa à Charlie.

— Joyce, tu vas être l'avant et moi, je vais être le défenseur.

L'entraîneur frappa la glace de son bâton à environ sept pieds de la zone du gardien.

— Place-toi là et essaye de marquer un but. Trevor, tu lui feras des passes à partir du coin.

Pourquoi fallait-il que Clark l'ait choisi ? Plus que jamais, Charlie se sentit le point de mire de tous les joueurs, sans compter que c'était plutôt intimidant d'affronter Clark, un ancien de la LNH. Il avait beau avoir pris sa retraite quatre ans plus tôt, Charlie l'avait vu patiner et tirer, et l'homme pouvait encore tenir son bout, c'était le moins que l'on puisse dire.

— Vas-y, Trevor, l'exhorta Clark.

Chaque passe était parfaite. En plein milieu de la palette, rapide, mais pas trop. À chaque essai, Clark lui enleva la rondelle facilement, en soulevant son bâton ou en le harponnant. Il n'avait même pas besoin de se servir de son avantage de taille et de force. Bientôt, les autres se mirent à rire, ce qui accentua la nervosité de Charlie.

— OK, Trevor. Arrête, commanda enfin Clark.
Il se tourna vers les joueurs.

— Ça vous fait rire? Pensez-vous que vous feriez
mieux que lui? Vous faites tous la même chose:
vous vous précipitez devant le filet, et là, vous restez
immobiles. Ça permet au déf de garder la rondelle
loin du gardien. Quand je jouais, y a rien que
j'aimais mieux que les avants stationnés dans l'enclave, comme des statues. Charlie, maintenant, je
veux qu'on recommence, mais cette fois, tu vas
bouger, tu vas essayer de te découvrir et, quand tu
verras que tu as une ouverture, là, tu fonces. Assure-
toi de toujours t'offrir en cible pour recevoir une
passe. Penche-toi, écarte les pieds et sois solide.

Clark donna le signal et Charlie fit une feinte à
droite avant de couper à gauche et de foncer vers
le but, à environ cinq pieds du poteau. Trevor avait
bien anticipé le jeu de l'avant et il lui fit la passe
juste au moment où ce dernier freinait. Clark étira
son bâton et repoussa Charlie du bras gauche, mais
pas avant que le garçon ait eu le temps de décocher
un tir.

— Belle job! le félicita l'entraîneur en tapant sur
son casque. C'était parfait. Avez-vous vu ça, vous
autres? Mouvement, position, lancer. C'est pas plus
compliqué que ça. Et c'est difficile de se défendre
contre ça sans prendre de pénalité. Charlie, on
essaye encore une fois.

Trevor étant placé à gauche, Clark s'attendait sûrement à ce qu'il aille de ce côté. Mais Charlie, comptant sur le talent de Trevor dont il avait eu amplement l'occasion de voir des démonstrations éclatantes, bifurqua à droite en contournant Clark et se dirigea vers le poteau du côté éloigné. Trevor lui fit une passe soulevée que le garçon fit dévier du revers. C'était un de ces jeux miraculeux, un de ces jeux dont on se demande après coup comment on a pu les réussir. La rondelle effleura la barre horizontale et finit sa course au fond du filet.

Quelques-uns applaudirent et Charlie tenta tant bien que mal de retenir un sourire trop satisfait, ce qui aurait été prétentieux. Mais Clark avait l'air content ; il frappa la glace plusieurs fois de son bâton et tendit la main à Charlie pour un *high five*.

— Beau jeu ! Exécution parfaite. Vous avez vu ça ? Agressivité. Détermination. Si vous mettez de la pression sur le défenseur, vous aurez des chances de scorer. N'oubliez pas que 80 % des buts sont marqués à moins de dix pieds du filet. Alors, posez-vous toujours cette question : est-ce que je suis en bonne position ? Pour compter ? Pour voiler la vue du gardien ? Pour recevoir une passe ? Sinon, bougez vos pieds !

Il s'adressa ensuite à l'assistant coach.

— Trevor, tu vas faire les passes aux avants. OK, on va y aller : les avants essaient de se dégager, les défenseurs essayent de les arrêter.

Charlie se préparait à se joindre au groupe d'avants lorsque Clark l'interpella.

— Bel effort, Charlie. Je veux voir ça plus souvent. Joue avec confiance : c'est là-dessus que tu dois travailler. Tu as le talent et l'attitude pour devenir un grand joueur. La seule chose qui t'empêche d'aller plus loin, c'est ton manque de confiance – et peut-être aussi de concentration, parfois. On m'a dit que tu étais souvent en retard et que tu avais eu des… problèmes pendant certains entraînements. Est-ce que tu es heureux ici, Charlie ? As-tu du plaisir ?

La gentillesse de cette dernière question prit le jeune joueur par surprise. Il avait craint d'être rétrogradé – ou même pire –, surtout après sa conversation avec Jen. Il hésita un instant et répondit :

— Oh, oui ! Bien sûr ! J'ai appris plein de choses. Le coach Miller est super. Et c'est vrai, ce que vous m'avez conseillé. Mon coach à Terrence Falls dit pareil : il faut que je bouge mes pieds. Il répète qu'il faut *toujours* être en mouvement.

Clark eut l'air d'apprécier ce qu'il entendait.

— Ce doit être un bon coach, alors, parce que c'est un excellent conseil.

Charlie pensa que la conversation était finie. Il remercia l'homme et s'apprêtait à aller rejoindre les autres, lorsque l'entraîneur ajouta :

— Et surveille ton équipement !

Avant qu'il puisse répondre, Clark donna un coup de sifflet et ordonna :

— Je veux un avant et un défenseur en avant !

Charlie se faufila derrière Simon et Gabriel. Il les connaissait un peu mieux depuis le premier entraînement, même s'ils semblaient avoir tendance à rester entre eux et à ne pas trop se mêler aux autres. C'étaient des joueurs très – *très* – sérieux et Charlie ne les avait jamais entendus plaisanter ou rire. Tout le contraire de Scott et Nick.

Savard et Zane étaient les premiers à se lancer. L'habile centre fit quelques feintes vraiment subtiles et marqua facilement. Au deuxième essai, il déjoua encore le défenseur et rata le but de très peu. Zane frappa la glace de dépit.

— Qu'est-ce que Clark t'a dit à propos de ton retard à la pratique ? demanda Gabriel à Charlie.

— Où t'étais ? ajouta Simon. On pensait que t'étais blessé.

Charlie crut qu'il valait mieux leur dire la vérité.

— Vous me croirez pas, mais j'ai retrouvé mon équipement à la patinoire 3. Sérieux, je pensais que Jen allait me tuer. En plus, elle était déjà de mauvaise humeur à cause de la bague de Miller.

Simon fronça les sourcils.

— T'es *vraiment* pas chanceux, *man*. L'affaire de la corde, c'était malade !

— Jen est OK, mais j'pense pas qu'elle a été juste avec toi, commenta Gabriel.

Charlie n'avait aucune envie de revenir là-dessus. Il avait l'impression que tous les joueurs étaient fâchés contre lui à cause de ça. Au moins, c'était rassurant de savoir que ces deux-là lui accordaient le bénéfice du doute.

— Suivant! cria Clark.

— C't'à toi, indiqua Gabriel en poussant Simon dans le dos.

Charlie prit le temps de repenser aux conseils de Clark. Prendre confiance. C'était une bonne idée. Il savait que la concurrence au camp serait féroce et que le niveau de jeu serait très élevé. Mais il avait réussi à tenir le coup : il était toujours dans la 1, même si Jen avait laissé planer un doute en suggérant qu'il pourrait être rétrogradé.

Il se prépara mentalement, car il était le suivant. À partir de maintenant, Joyce devait passer au niveau supérieur et ça commençait tout de suite.

— Suivant!

Il alla se mettre en position et attendit le coup de sifflet.

12

Pickpocket

— ... et Charlie, Simon et Gabriel sur l'autre trio. On a juste une dizaine de minutes pour le scrimmage, alors on va en profiter. Je sais : les exercices, ça peut devenir plate. On va mettre un peu d'action. OK, les *boys* ?

Clark donna un coup de sifflet.

— *Let's go !*

Simon frappa d'un petit coup de bâton les jambières de Charlie.

— On va leur donner une claque.

— Tu peux compter sur moi, approuva ce dernier.

Il savait que Simon était content. En fait, ce dernier n'était jamais aussi content que lorsqu'un entraîneur annonçait un match interéquipe, aussi court soit-il. Charlie le savait, car il éprouvait la même joie.

Gabriel arriva en trombe et freina sec juste à côté d'eux.

— On évite les revirements en zone neutre et on y va sur le *forecheck*, proposa-t-il.

Le trio de Savard jouait contre eux. Richard était positionné à sa gauche et un dénommé Tan se tenait à l'aile droite. Les forces paraissaient égales. Charlie ne connaissait que trop bien Savard et il se promit de le surveiller aussi étroitement que possible. Richard était plutôt du style *tough*, un peu comme Simon, mais probablement pas aussi talentueux. Tan était petit, mais très rapide, et il pouvait faire mal avec sa vitesse, tout comme Gabriel.

Trevor fit la mise au jeu. La rondelle rebondit et les bâtons des deux centres s'entrechoquèrent. Savard réussit à saisir la *puck* et l'envoya du revers sur la bande. Richard et Simon se précipitèrent, mais Simon gagna la course et il renvoya le disque en arrière, vers son défenseur. Charlie avait anticipé le jeu et il s'était rué vers le défenseur, en zone neutre.

Ce dernier eut tout juste le temps de s'apercevoir que le disque n'était plus sur son bâton avant que Charlie le lui vole. Savard réagit immédiatement et fonça en repli sur Charlie au moment même où Simon, qui avait quitté sa position, arrivait, lui aussi. Charlie fit une enjambée de plus et il passa à Simon qui était libre. Ce dernier dut saisir la rondelle un peu derrière lui pour éviter le bâton de Savard, mais il réussit à la contrôler habilement.

Le défenseur droit se dirigea vers lui pour le contrer, mais Simon loba la *puck* dans le coin. Gabriel laissa Simon s'avancer pour forcer le jeu et glissa vers le coin en vue de mettre de la pression sur la défense adverse. Charlie n'avait pas osé s'aventurer, craignant de laisser Savard seul à la ligne bleue. Très combatif dans le coin, Simon gagna la bataille et réussit à dégager le disque. Gabriel parvint à s'en saisir le premier. Il alla directement derrière le filet. Quand Charlie le vit, il se mit en «mode attaque» et avança dans l'enclave. Clark ne lui avait-il pas recommandé de jouer avec confiance?

Le défenseur gauche chargea Gabriel qui renvoya la rondelle dans le coin du revers. Charlie se dépêcha d'aller la cueillir, mais il sentit immédiatement la présence de Savard dans son dos. N'ayant guère d'autre choix, il décida de pousser la *puck* lentement vers la ligne bleue. Mais du coin de l'œil, il aperçut Simon qui se glissait derrière le but. Charlie changea d'idée. Il lui envoya le disque du revers et Simon, sans hésiter, le remit par la bande à la ligne bleue, de l'autre côté, là où Gabriel s'était placé pour soutenir l'attaque.

À trois reprises, Charlie reçut la rondelle derrière le filet, et chaque fois, il la renvoya à la ligne bleue ou à l'un de ses compagnons de trio le long de la bande. C'était du hockey de plombiers et les membres de son trio durent en payer le prix, mais c'était extrêmement satisfaisant de conserver la possession de la *puck* aussi longtemps en zone adverse. Enfin, Charlie aperçut son défenseur droit qui était libre et il lui envoya une passe vive et précise.

Simon alla se poster immédiatement devant le filet. Charlie se souvint de l'exercice et des recommandations de Clark. «Bouge tes pieds, Joyce», se sermonna-t-il et, plutôt que d'attendre le tir, il chargea vers le filet. Son défenseur feignit le lancer frappé et choisit plutôt de passer la rondelle à son partenaire de l'autre côté qui, lui, s'avança un peu et décocha un tir. Comme Simon s'occupait déjà de voiler la vue du gardien, Charlie décida de se déplacer à gauche du filet. Le gardien s'écrasa en papillon, fit l'arrêt, mais le disque rebondit dans les patins de Charlie. Pendant une fraction de seconde, il crut que le côté rapproché était ouvert, jusqu'au moment où Savard souleva son bâton, lorsque le défenseur envoya la *puck* libre dans le coin, mettant ainsi fin à la menace.

Richard la récupéra et sortit de la zone à grandes enjambées. Mais, à bout de souffle, il s'en départit en la lançant au fond de la zone adverse, avant de retraiter au banc. Tous les joueurs de l'équipe de Charlie en profitèrent pour faire des changements au même moment. Au banc, le garçon but plusieurs gorgées d'eau avant de passer la bouteille à ses coéquipiers.

— *Good job*, affirma-t-il. On a gardé le contrôle durant tout le *shift*. Prochaine fois, on va la mettre dedans.

Simon recracha un jet d'eau sur la patinoire et avoua :

— J'aurais dû la faire dévier. Ma faute.

— Le déf a mis son bâton entre mes jambes, pis il m'a tassé avant la *shot*. J'ai rien pu faire. Au moins, Charlie a réussi à se rapprocher, commenta Gabriel.

Charlie, lui, trouvait qu'ils avaient très bien joué, tous les trois. Simon et Gabriel s'étaient battus avec énergie le long des bandes, ils avaient fait bouger la rondelle, et le tir était bien placé. Si seulement Savard avait été un tout petit peu plus lent ! Les deux joueurs étaient durs envers eux-mêmes, mais Charlie appréciait leur humilité qui lui donnait envie d'en faire encore plus à sa prochaine présence. De travailler encore mieux. Il reporta son attention sur le jeu. Les adversaires attaquaient et contre-attaquaient comme des forcenés. À vrai dire, ça le rendait nerveux : il allait devoir faire aussi bien qu'eux.

Bientôt, le centre qui était sur la glace demanda un changement et Charlie sauta par-dessus la clôture avec fougue. Jake avait la rondelle, profondément dans sa zone, tournant lentement devant son filet. Charlie fonça sur lui, pensant qu'il serait fatigué après une si longue présence. Le voyant venir, Jake jeta un coup d'œil sur sa droite pour tenter de trouver un ailier libéré, ce qui poussa Charlie à placer son bâton de façon à intercepter une passe éventuelle. Jake changea donc de stratégie et il décida de sortir lui-même la *puck* du territoire. Il partit.

Mais Charlie avait l'avantage d'être frais et dispos, et il rejoignit Jake assez facilement. Pendant que Jake traversait la ligne bleue, Charlie donna un coup de bâton assez puissant pour lui faire perdre le contrôle du disque. Les deux défenseurs s'étaient considérablement écartés afin de laisser passer Jake, ce qui donnait à Charlie le champ libre jusqu'au but. Celui-ci projeta la rondelle depuis son pied jusque sur sa lame et s'assura le contrôle de la *puck* bondissante en tapant dessus avec le revers de son bâton.

Le gardien sortit loin de son filet immédiatement. Il était penché en avant, la mitaine à mi-hauteur entre son épaule et la glace. Il s'appelait Théodore (ce qui faisait bien rire tout le monde). Il était rapide comme l'éclair et adorait défier les adversaires en échappée. Il paraissait invincible devant les feintes. En fait, son seul problème était sa taille : comme il n'était pas très grand, il pouvait être battu par les tirs hauts.

Étant donné que les deux défenseurs fonçaient sur lui, Charlie n'avait pas beaucoup de temps : il devait réagir vite. Il ramena le disque derrière son patin droit, fit ensuite une feinte de revers, puis coupa brusquement à gauche, comme s'il avait décidé de dribbler en attaquant le gardien du côté du bâton. Théodore recula, prêt à tomber à genoux en papillon.

«Parfait», songea Charlie. Il repoussa la *puck* vers ses patins dans un premier temps, puis envoya un revers traître vers le coin supérieur droit. Le gardien lui avait donné trop d'espace et de temps, et la rondelle passa par-dessus son épaule. But!

Charlie retourna vers sa zone, plié en deux, le bâton appuyé sur les genoux. Ce n'était qu'un match interéquipe, c'est pourquoi il ne voulait pas manifester sa joie, même s'il était vraiment heureux d'avoir soutiré le disque à Jake. Il avait fait ça aussi sournoisement qu'un pickpocket, tout en douceur. Autre raison d'exulter: il vit Clark qui parlait avec Jake, appuyé sur la bande. Ce dernier avait l'air piteux et regardait la glace en hochant la tête de temps en temps. Peut-être que ça lui clouerait enfin le bec.

Gabriel et Simon s'approchèrent, la main tendue pour le traditionnel *high five.*

— Super *forecheck*, ça! applaudit Gabriel. On continue; on les achève!

Charlie lui tapa les jambières et se positionna pour la mise au jeu. Savard se présenta devant lui.

— C'est quasiment deux buts en deux *shifts*, lança-t-il à Charlie. Ralentis, tu nous fais passer pour des poches!

C'était du Savard typique : toujours en train de présenter les autres comme des vedettes et de se faire passer pour un hockeyeur quelconque. Mais Charlie avait joué assez souvent contre lui pour savoir qu'il pouvait à tout moment marquer deux buts en une seule présence, si ses adversaires le laissaient aller.

— Mais c'est au tour de Gabriel de scorer, fait qu'occupe-toi pas de moi, lui répondit Charlie.

— J'pensais que j'en scorerais deux ! fit mine de se plaindre Gabriel.

— On peut-tu jouer ? maugréa Richard.

Clark laissa tomber la rondelle. Savard prouva qu'il était prêt en gagnant franchement la mise. La *puck* alla jusqu'au défenseur droit. Charlie s'en voulut d'avoir ainsi perdu la confrontation. Il n'était pas assez concentré et Savard lui avait fait payer le prix.

Charlie se lança en échec-avant, le bâton loin devant lui, tentant de bloquer une ligne de passe. Mais le défenseur était rusé et il fit une feinte vers l'intérieur avant de décocher une belle passe à Savard, qui patrouillait dans le flanc opposé. Simon abandonna le joueur qu'il devait couvrir et se précipita sur J. C. Mais ce dernier réussit une jolie passe soulevée par-dessus le bâton de Simon à Richard. Le robuste ailier effectua trois puissantes enjambées au centre et envoya le disque dans la zone ennemie en direction de son ailier gauche qui fonçait.

Charlie tenta vaille que vaille de couvrir Savard, mais le centre n'était pas vraiment facile à couvrir. Il démarra soudainement vers sa gauche et, avant que Charlie ait pu réagir, la rondelle était sur la lame de son bâton, grâce à une magnifique passe de l'ailier gauche, qui avait gagné sa course dans le coin de la patinoire. Savard freina à peu près à mi-chemin entre le filet et la ligne bleue, alors que ses coéquipiers s'installaient dans la zone ennemie. Mais Charlie était confiant : il avait réussi à coincer Savard sur la bande et, de là, le joueur de centre ne pouvait pas faire grand-chose.

Quelle erreur ! Savard reçut le disque et glissa comme un morceau de savon entre Charlie et la bande, la *puck* sur son revers, et il put décocher une passe parfaite à son ailier qui s'était débarrassé de ses couvreurs. L'ailier fit dévier habilement la rondelle jusqu'à Richard, bien posté dans l'enclave, et avant même que Charlie ou ses coéquipiers aient le temps de réagir, le disque était au fond du filet.

— C'étaient pas nous qui étions supposés compter ? demanda-t-il à Savard, le regard admiratif, après avoir frappé violemment la glace avec son bâton.

— Ça aurait pas été juste, c'était notre tour, répondit J. C. en souriant.

Ce fut un Charlie Joyce différent qui vint se positionner pour la mise au jeu suivante. Corey avait raison : on ne pouvait pas se permettre une seconde de relâchement. Cette fois, il bloqua le bâton de Savard et réussit à envoyer d'un coup de patin la rondelle derrière lui jusqu'à son défenseur.

Savard fonça en échec-avant, mais le défenseur eut le temps de passer la rondelle à Charlie qui fit une vrille et s'envola vers la zone adverse, renvoyant la *puck* à Simon, après avoir traversé la ligne rouge. Simon pénétra dans la zone et remit le disque à Gabriel par la rampe. Charlie suivait le jeu, tentant de prévoir le mouvement de la rondelle et de ses adversaires, tout en s'isolant afin de s'offrir en cible. Gabriel n'hésita pas une seconde. Il prit la *puck*, patina à plein régime jusqu'à l'arrière du but et revint dans l'enclave en contournant un défenseur complètement mystifié. Le gardien s'agenouilla et se colla au poteau.

Mais ce n'était pas un problème pour Gabriel. Il ramena le disque vers lui une fraction de seconde et décocha un superbe revers dans la lucarne, juste avant de se faire mettre en échec. Il tomba sur les genoux et se releva comme mû par un ressort.

Charlie ne pouvait s'empêcher d'être admiratif devant le talent de son ailier. Quel but! Digne des *Jeux de la semaine*! De retour au centre pour la mise au jeu, Charlie constata l'air sérieux de Savard. Il jeta un coup d'œil et vit que tous ses coéquipiers affichaient la même détermination. La leçon semblait avoir porté ses fruits : une seconde de relâchement et la rondelle se retrouvait au fond du filet.

Il se pencha et plaça fébrilement son bâton au-dessus de la glace, anticipant le moindre mouvement de Savard, en attendant que Clark laisse tomber le disque.

13

Le porte-drapeau

Le téléphone de Corey sonna. La porte de la salle de bain s'ouvrit brusquement et le garçon se précipita jusqu'à sa table de nuit où il avait déposé l'appareil.

— 'tends une seconde, p'pa, articula-t-il avec peine, la bouche remplie de dentifrice, avant de courir jusqu'au lavabo pour cracher et se rincer.

Scott et Nick entrèrent dans la chambre au même moment.

— Y a-t-il un monsieur Joyce, ici? demanda Scott.

— Vous êtes prêts? répliqua Charlie.

Corey avait passé la majeure partie de la soirée, la veille, à lui parler du jeu du drapeau auquel ils allaient jouer ce matin.

— L'équipe gagnante va recevoir un trophée, avait-il expliqué à Charlie. Les perdants sont obligés d'applaudir et ils doivent attendre avant de manger leur déjeuner, et… C'est juste é-cœu-rant! L'an dernier, c'est moi qui ai pris le drapeau pour la victoire et les gars m'ont porté sur leurs épaules! É-cœu-rant!

Il s'était tordu de rire en repensant à tout ça. Charlie avait cru que son hilarité ne s'arrêterait jamais. Mais aujourd'hui, en revenant s'asseoir et en lançant son cellulaire sur son lit, le garçon semblait tout sauf heureux. Son humeur changea brusquement quand il vit les amis de Charlie dans la pièce.

— J'ai tellement hâte de jouer au drapeau! leur confia-t-il. Est-ce que je vous ai dit que l'an passé, c'est moi qui ai fait gagner mon équipe?

Charlie acquiesça d'un signe de tête.

— J'savais pas, intervint Scott. Raconte-nous donc ça.

C'était bien la dernière chose que Charlie souhaitait: entendre pour la énième fois le récit des exploits de Corey.

— On va être en retard si on se dépêche pas, les interrompit Charlie. J'ai pas envie de me faire shooter d'la marde par Jen.

— C'est un vilain mot, ça, Charlie! T'as pas pris tes pilules ce matin? l'interrogea Nick.

— Ils ont des pilules? s'informa Scott.

— Ils en ont, confirma Nick d'une voix triste. Mais, malheureusement, il faut avoir un cerveau, sinon ça marche pas.

154

Les épaules de Scott s'affaissèrent.

— J'aurais tellement dû en demander un au magicien d'Oz quand j'en avais la chance.

— Pourquoi tu l'as pas fait? voulut savoir Nick.

— C'est une longue histoire. Y avait tous ces singes volants… Pis un bonhomme en fer-blanc… Un chien… Et une jolie fille avec une voix mélodieuse…

Ils se dirigèrent vers la porte. Corey tira la manche de Charlie pour qu'il se retourne.

— Tes chums sont *nice*, mais ils sont tellement *weird*! chuchota-t-il à l'oreille de Charlie.

— T'as même pas idée à quel point!

Il était encore tôt et l'air était frais. Charlie avait un peu froid et sautillait sur place pour se réchauffer.

— Ta maman t'a jamais dit de faire ton pipi avant de sortir?

C'était Jake – qui d'autre? – qui échangeait un *high five* avec Zane, fier de son mot d'esprit.

— Bien dit, *man*, apprécia Markus.

Charlie arrêta de trépigner.

— Ça va être quoi ton excuse pour tricher au drapeau? Des problèmes de prostate? continua Jake.

Le groupe autour de celui-ci se mit à rire bruyamment. Charlie leva les yeux au ciel.

Mais Jake n'avait pas fini.

— J'ai entendu parler de l'affaire de ton stock perdu. Tu devrais p't'êt' te l'attacher au p'tit doigt avec une corde.

Charlie se mordit la lèvre inférieure pour garder son calme. Jake n'attendait que ça : qu'il riposte. Et là, il baverait encore plus et tous ses amis se moqueraient de Charlie.

— Tu dois être heureux d'avoir scoré au scrimmage, hier, hein? Maman doit être *tellement* fière de son ti-Charlie chéri!

Charlie remarqua que Slogger avait les yeux fixés sur lui. Puis il s'aperçut que Gabriel et Simon le regardaient, eux aussi. Scott et Nick le dévisageaient intensément, et Savard, Burnett et Cameron avaient aussi l'air de s'intéresser à lui. Qu'est-ce qu'ils voulaient? Qu'il réponde? Il inspira profondément. Depuis le début du camp, il avait tout fait pour ignorer les provocations de Jake en se disant qu'il n'y aurait rien de bon à s'abaisser à son niveau. Mais son instinct lui soufflait qu'il avait peut-être eu tort de se laisser manger la laine sur le dos sans réagir.

— T'es pas très bavard aujourd'hui, Charles, reprit Jake. Plus rien de débile à dire?

Zane ricana. Jake claqua des doigts, comme s'il venait d'avoir un éclair de génie.

— J'ai une idée. Pourquoi tu raconterais pas aux gars comment je t'ai planté, cet hiver?

Il se tourna vers Zane.

— Malheureusement, notre ami a eu tellement peur après ça qu'il n'a pas joué pendant un mois. Pas vrai, Charles?

Pour Charlie, cette bagarre avait été un des pires moments de l'année. Il venait de recevoir un double-échec dans le dos, gracieuseté de Jake, et était encore étourdi quand la bagarre avait éclaté. Après le combat, Jake avait réagi comme s'il était champion du monde des poids lourds.

— Pourquoi tu dis pas plutôt aux autres qui a gagné le championnat, cette année? répliqua Charlie calmement.

Jake renifla.

— La pire équipe de la ligue! Vous avez été chanceux, pis là, c'est comme si vous aviez gagné la coupe Stanley...

— Mais on a gagné, hein? Et les Wildcats ont perdu. Et si je me souviens bien, tu jouais pour les Wildcats, *right?* Est-ce que ça veut dire que t'es... comment dire... un *loser?*

Jake fronça les sourcils.

— On gagnait avant que l'arbitre vous donne la *game.*

— Je pense que tu veux dire que vous gagniez jusqu'à ce que t'abandonnes.

La moitié du camp était réunie autour d'eux, maintenant.

— À bien y penser, j'crois que tu parles trop, gronda Jake en s'avançant vers Charlie.

Mais ce dernier n'avait nullement l'intention de se battre.

— T'es comme un jeu vidéo plate, dit-il à Jake. La même chose, encore et encore… On sait tous que quand y a de la pression, t'abandonnes. T'as lâché l'équipe de l'école en demi-finales, pis t'as lâché contre les Rebelles pendant le match de championnat.

— Je crois bien que ça fait de lui un lâche, souligna Scott.

— Je pense qu'on peut dire ça, acquiesça Nick.

Un murmure parcourut les joueurs réunis. Charlie en conclut que ces nouvelles informations sur Jake les surprenaient vraiment. Jake faisait son *tough* au camp, mais les vrais durs ne lâchent jamais.

— Votre attention, s'il vous plaît! cria Jen.

L'ordre eut pour effet de calmer les esprits et tous se tournèrent vers Trevor et elle. Jen agita des drapeaux rouges et bleus au-dessus de sa tête, puis elle jeta un sac de toile sur le sol.

— Comme ceux qui étaient ici par le passé le savent déjà, déclara-t-elle, après le match du Challenge, la deuxième chose la plus importante au camp, c'est la Coupe du drapeau!

Trevor souleva la coupe au ciel, ce qui provoqua des applaudissements et des cris.

— Cette année, reprit Jen, on va faire les choses un peu différemment. Au lieu d'opposer les équipes les unes contre les autres, on va diviser le camp en deux groupes : les bleus et les rouges.

Elle désigna une pile de dossards, sur le sol.

— Je vais faire l'appel des bleus d'abord. Vous êtes dans la zone sud. Trevor va venir vous voir pour vous aider à vous organiser. Prenez un dossard quand je vous nomme et allez ensuite là-bas, dit-elle en pointant une partie du terrain. Comme vous le constatez, il y a une bannière à votre couleur dans chaque zone du terrain.

Puis Jen leur montra les deux bandes de tissu.

— Voici les drapeaux. Vous pouvez les cacher dans la forêt, mais vous devez absolument faire en sorte qu'ils soient visibles à partir d'au moins une direction. Si vous les cachez complètement, vous serez disqualifiés. Je vais être postée à la ligne du centre. Si vous plaquez un adversaire dans votre zone, il va en prison. Regardez le grand cercle tracé à la craie, juste là, autour des bannières : c'est la prison. Les prisonniers peuvent être libérés si un coéquipier réussit à pénétrer dans le cercle.

— Est-ce qu'il faut entrer complètement, ou juste mettre un pied ? voulut savoir un joueur.

— Qu'est-ce que t'en dis, Trevor ? s'informa-t-elle.

Celui-ci se gratta la tempe.

— Un pied dans la zone, c'est bon ! annonça-t-il sentencieusement.

Jen se mit à rire.

— Alors, ça sera un pied! La première équipe qui trouve le drapeau de son adversaire et le rapporte dans sa zone est déclarée vainqueur. Les limites sont l'aréna, à gauche, et les bords de la falaise du côté de la forêt, à droite. Soyez prudents dans le bois. Il y a des branches tombées, des souches un peu partout et le ravin est à pic. On a deux heures devant nous alors, avec de la chance, on pourra faire plusieurs parties. Mais la coupe ira aux gagnants de la première partie. Bonne chance!

— Jen et moi, on sera les juges, précisa Trevor. S'il vous plaît, respectez les règles. Si votre genou touche le sol, considérez que vous êtes plaqué. Comme au football.

Jen commença l'appel. Charlie fut nommé rapidement (il était dans les bleus) et fut ravi que Slogger, Gabriel et Simon fassent partie de la même équipe que lui. Scott et Nick, malheureusement, étaient dans les rouges.

— Charlie, il faut pas que tu te mettes à pleurer et que tu te mettes en colère quand on va gagner, le pria Scott. C'est tellement gênant, quand tu piques tes crises! D'autant plus que, comme tout le monde sait que je suis ton mentor et ton idole, la honte rejaillit sur moi.

— Je vais faire mon gros possible pour me contrôler, assura Charlie en essayant tant bien que mal de paraître de bonne humeur.

En réalité, il était encore préoccupé par son altercation avec Jake.

— Et on n'oublie pas qu'on est ici pour avoir du plaisir, les amis, singea Nick, en imitant le ton d'une animatrice de garderie.

— Et pas de tricherie, rappela Scott.

— T'es pas mon pèèèère, pleurnicha Nick.

Slogger était plié en deux. Il réussit à dire :

— Venez-vous-en, faut s'éloigner de ces deux clowns. Mauvaise influence…

Corey s'approcha de Charlie, le poing brandi. Il portait un dossard rouge. Charlie frappa son poing.

— Qu'est-ce qu'on attend ? demanda Corey à Scott et Nick. On va les massacrer ! Allez, venez !

— Ouais, ab-so-lu-ment ! confirma Scott lentement. On va les massacrer. Ça va être laid.

— Je vous attends sous la bannière, les prévint Corey. Si vous me cherchez, je vais être celui qui court avec le drapeau bleu.

Il donna une tape dans le dos de Charlie et Slogger, et partit en courant, gratifiant Trevor d'un *high five* sur le chemin.

— Je pense qu'il veut la victoire plus que moi, admit Scott.

— Messieurs, veuillez vous placer dans votre zone, s'il vous plaît. La partie va commencer, leur enjoignit Jen.

— J'aimerais profiter de la tribune qui m'est accordée pour m'excuser en mon nom et au nom de mes amis ici présents, intervint Scott, prenant un ton de ministre. Ils n'obtempèrent pas. Je leur ai pourtant répété à maintes reprises de se réunir sous la bannière. Ils refusent. Ils tiennent à ce que je leur raconte encore mes exploits et ma carrière, mes stratégies… et tout ça… Je plaide coupable : ma vie est trop intéressante.

Jen le regardait, les yeux ronds. Elle finit par mettre sa main sur l'épaule du garçon :

— Peut-être pourriez-vous faire preuve de vos talents de leader, monsieur Slatsky, et vous diriger vers le terrain ?

— C'était bel et bien mon intention, mais…

Charlie crut opportun d'intervenir. Scott ne savait jamais quand s'arrêter.

— Jen, ordonne-lui d'y aller, sinon ça va juste empirer. Crois-moi.

Elle hocha la tête.

— Excellent conseil !

Elle pointa du doigt Scott et Nick.

— Vous deux ! Bougez-vous les fesses. Allez rejoindre les rouges. Ils ont besoin de vous.

— Vous avez entendu ça ? s'écria Scott. Ils ont besoin de nous !

Ils se mirent tous les deux à chanter « Heigh-ho, heigh-ho, on rentre du boulot », les paroles de la chanson des nains dans *Blanche-Neige*, et ils partirent en se dandinant comme des canards.

— Hé, Trevor! héla Gabriel. On peut se mettre en équipe d'attaque, tous les quatre? C'est OK?

L'instructeur acquiesça d'un signe de tête et se remit à rassembler le reste des bleus. Lorsque tout le monde fut prêt, Charlie jeta un coup d'œil aux alentours pour évaluer le terrain. La forêt n'était pas très profonde – le ravin était tout près –, mais elle offrait les meilleures cachettes.

— On pourrait se glisser en douce dans le bois avant que ça commence, suggéra Charlie tout bas. Pis on pourrait en profiter pour envahir la zone des rouges avant même qu'ils sachent qu'on arrive.

— Ça, c'est traître, pas *fair* et vraiment salaud, commenta Slogger. On le fait.

Simon et Gabriel hochèrent vigoureusement la tête, les deux arborant un large sourire. Charlie se glissa derrière les joueurs des bleus qui s'agglutinaient sous la bannière, et quand il fut à peu près certain que les rouges ne pourraient pas le voir, il se faufila dans la forêt, suivi de Slogger, Simon et Gabriel.

— Mode attaque, les gars. On est l'escouade des Zèbres! s'écria Charlie, qui venait d'inventer ça. *Go!*

14

Malmené

Les quatre amis entreprirent leur course dans la forêt, que ne facilitaient pas tous les troncs d'arbres et branches jonchant le sol. Et certains arbres étaient vraiment gros, particulièrement les sapins. Les quatre coéquipiers se frayèrent un chemin du mieux qu'ils purent, veillant à se tenir à l'abri des regards.

— Escouade des Zèbres, murmura Charlie. Danger à midi.

Deux rouges marchaient dans le bois, tout près d'eux. Au même instant, ils entendirent le coup de sifflet de Jen. La partie était commencée.

Charlie et Slogger s'accroupirent derrière un arbre. Simon et Gabriel, quant à eux, ne trouvèrent qu'un buisson pour se cacher. Ils s'étendirent à plat ventre, mais trop tard : les rouges les avaient vus.

— Là-bas! cria un rouge, et trois coéquipiers se joignirent à lui pour se précipiter vers le buisson.

Simon et Gabriel se relevèrent le plus rapidement possible et s'enfuirent vers les champs, poursuivis par leurs assaillants. Charlie tira sur la manche de Slogger.

— On va aller au bord de la falaise. Ils sont trop occupés pour faire attention.

— On est en territoire ennemi. Faut être *extrêmement* prudent.

Charlie se contenta de grimacer et ils se dirigèrent silencieusement vers la falaise, tout en regardant un peu partout, à la recherche du drapeau rouge. Au loin, quelqu'un cria «Tu vas en prison!», ce qui provoqua chez Charlie une poussée d'adrénaline.

— Viens, on va aller se cacher là-bas et on va discuter de stratégie.

Ils firent quelques pas et se camouflèrent derrière des arbustes.

— Faudrait qu'on ait des walkies-talkies pour parler au QG, plaisanta Charlie.

— Ils seraient sûrement impressionnés si on leur annonçait qu'on a trouvé un buisson où se cacher, remarqua Slogger en riant.

Charlie épia les alentours à travers les branches et vit Simon et Gabriel se faire emmener, escortés par trois rouges.

— On dirait qu'ils ont fait prisonniers deux membres de l'escouade des Zèbres.

— Je pense que notre mission est claire, n'est-ce pas? déclara Slogger.

Charlie fit semblant de parler dans un walkie-talkie imaginaire.

— Delta, delta, ici l'escouade des Zèbres. On tente une mission de rescousse avant de capturer le drapeau. 10-4.

— Qu'est-ce qu'ils ont dit?

— J'ai rien entendu. Pas de signal.

Ils progressèrent prudemment au bord de la falaise, se couchant sur le sol dès qu'un rouge venait trop près et, en se cachant derrière les arbres, ils se rapprochèrent de la prison des rouges. Charlie réussit à avancer à une dizaine de mètres, grâce aux branches d'un énorme sapin – ou pin, ou épinette, il ne savait jamais lequel était lequel. Slogger était un peu en arrière, dissimulé derrière le tronc d'un gros érable. Quatre coéquipiers étaient en prison, Simon et Gabriel y compris. Cinq rouges montaient la garde, tout en se moquant d'eux allègrement.

— Vous avez quand même réussi à jouer pendant au moins dix secondes, raillait l'un des gardes. Vous avez du fun?

— Heille, checke le gars! J'pense qu'il braille, ironisa un autre.

— Pis lui, y a pissé dans ses culottes!

Ils se trouvaient visiblement très drôles et riaient fort.

Charlie leva trois doigts et Slogger lui fit un signe de tête. Charlie compta jusqu'à trois et ils s'élancèrent simultanément vers la prison. Charlie, qui avait un peu d'avance, arriva le premier.

— Liberté! Liberté! Les bleus! s'époumona-t-il.

— D'où est-ce qu'il sort? cria un des soldats rouges, en se relevant aussitôt.

Les prisonniers s'évadèrent dans toutes les directions, les rouges à leurs trousses.

— Escouade des Zèbres! Rendez-vous au milieu du champ, hurla Simon.

— C'est Joyce! s'exclama un des rouges. Pognez-le!

Charlie vit que Slogger s'enfuyait en terrain découvert.

— Fonce, Slogger! On se retrouve en territoire allié! hurla-t-il avant de bifurquer du côté de la forêt.

Il était très difficile de courir à travers le bois et Charlie prit quelques branches dans la figure au passage. Mais sa tactique de casse-cou semblait fonctionner: bientôt, il réussit à semer ses poursuivants.

Il entendit un des rouges proposer à un autre:

— On ferait mieux de retourner à la prison.

— Ouais, ça vaut pas la peine de courir après lui.

Soulagé, le fugitif ralentit. Il évalua la distance jusqu'à la zone des bleus à une vingtaine de mètres. À partir de là, il pourrait sortir de la forêt sans crainte. Il trotta vers la droite, à l'affût d'une trouée.

Au même moment, il reçut un coup en plein ventre qui lui coupa le souffle. Pris! Le joueur rouge l'entoura de ses deux énormes bras, lui faisant une prise de l'ours aussi puissante que s'il avait été coincé dans un étau, et le rabattit au sol violemment. Le gars était impressionnant et Charlie, emprisonné sous son poids, ne pouvait faire le moindre mouvement.

— Yo, les *boys*! Amenez-vous. J'ai attrapé Joyce.

C'était Zane. Pas de chance.

— OK, c'est bon, tu peux te tasser, protesta faiblement Charlie.

Zane répondit en lui enfonçant la tête dans la terre. Une cocotte de pin s'imprima sur le front du prisonnier.

— Relève-toi lentement, lui ordonna Zane.

Charlie se mit à genoux. La brute le remit debout sans ménagement.

— Wô! Cool, *man*, c'est juste un jeu, lui rappela Charlie.

Les autres rouges lancés à sa poursuite arrivèrent.

— Zane, méchant plaquage! le félicita Richard.

— T'es mort, Joyce, lui apprit un autre.

Charlie essayait toujours de reprendre son souffle.

— Oh… Le ti-gars a bobo… Quelqu'un peut lui amener un p'tit jus?

— Ha, ha! C'est bon ça, Joyce veut du *juice!*

— On va l'appeler Juice. OK, les *boys?* proposa Richard joyeusement.

— On va l'appeler Apple Juice, renchérit Zane, ce qui provoqua un grand éclat de rire.

— En prison, Apple Juice!

Charlie avait l'impression d'être dans une cour d'école. C'était vraiment une bande d'imbéciles. Évidemment, il regrettait de s'être fait capturer, mais il était convaincu que les Zèbres allaient venir le délivrer rapidement. Le plaquage, ça, c'était plus difficile à avaler. Donner un coup de poing dans le ventre à quelqu'un et le projeter ensuite au sol, par-dessous soi, c'était un peu exagéré. Mais qu'aurait-il pu attendre d'autre de la part d'un malade mental comme Zane? Charlie se rendit docilement jusqu'à la prison. En chemin, il entendit les gars s'entretenir à voix basse. Il essaya de comprendre ce qu'ils disaient. Il parvint à saisir les mots «falaise» et «plan», et Richard énonça distinctement «problèmes», ce à quoi Zane répondit «on s'en fout». Charlie aurait bien voulu savoir ce qu'ils manigançaient.

Il se concentra encore plus et tendit l'oreille, mais apparemment, leur conversation était terminée. De toute façon, Charlie comprit très vite leur plan.

— Qu'est-ce que…?

Zane et Richard l'avaient projeté au sol. Ils le saisirent ensuite par les chevilles et le traînèrent par terre. Des cocottes et des branches lui râpaient le dos. Deux autres rouges le soulevèrent par les aisselles et, riant comme des hystériques, se mirent à courir en le transportant. Charlie se tortillait pour tenter de se libérer, en vain. Il essaya même d'agripper un buisson, mais en fut quitte pour récolter une touffe de feuilles pleines d'épines.

— Laissez-moi partir, bande de cons! cria-t-il.

— Ta gueule, Apple Juice, se moqua Zane.

— Où est-ce que vous m'emmenez?

Il commençait à se sentir nerveux.

— Qu'est-ce que tu dirais d'un petit tour du côté du ravin? lui asséna Zane.

Il baissa la voix pour se donner un ton menaçant.

— Tous ensemble, maintenant.

Ils se mirent à le lancer.

— OK, arrêtez. Soyez pas stupides… *Come on*, les supplia Charlie, à présent vraiment nerveux.

Des roches, des arbres et des buissons bordaient le ravin qui, en réalité, ressemblait plutôt à un précipice. Le cœur de Charlie battait dans ses tempes. Il sentit la panique l'envahir. À tel point qu'il commença à avoir envie de vomir.

— À trois, déclara Zane.

— Un… deux… deux et quart… deux et demi… deux et trois quarts…

Charlie ferma les yeux.

— OK, on va ramener Apple Juice en prison, les arrêta Richard.

Ils n'avaient voulu que lui faire peur.

— On te tient solidement, Juice, affirma un des joueurs en riant de bon cœur.

Et, à ces mots, celui qui tenait le captif par les aisselles le laissa soudainement tomber. Charlie alla choir lourdement au sol.

— Gang de peureux, maugréa Zane. J'avais dit : pas de prisonnier.

Il saisit Charlie par la jambe et le repoussa violemment au-dessus du vide. Celui-ci tenta frénétiquement d'agripper une pierre qui faisait saillie, mais Zane lui envoya un coup de pied dans les côtes. Charlie sentit la pierre lui glisser des mains.

Et ce fut la chute.

Au début, les cinq premiers mètres, il tomba sur le côté en roulant sur lui-même, mais ensuite, quand sa hanche heurta une pierre, il se mit à rebondir sur tout ce qui se trouvait sur son passage : d'autres pierres, des branches, des souches… De plus en plus vite, il déboula jusqu'à en devenir désorienté et étourdi. Il ressentit une douleur très vive à l'épaule quand il s'y enfonça une branche pointue. Il heurta un arbre mort et culbuta sur le dos. Terrifié, il ferma les yeux et plaça ses mains sur sa tête pour la protéger, alors qu'il continuait de glisser.

Juste au moment où il se disait que ça ne s'arrêterait jamais, il atterrit brutalement dans un gros buisson. Il avait vraiment mal partout et il dut faire des efforts pour arriver à recommencer à respirer normalement. Quand il vit l'énorme rocher qui s'élevait au-dessus du buisson, il songea qu'il avait eu de la chance. Sérieusement, il aurait pu *y rester.*

Le blessé geignit et sortit péniblement du buisson en roulant. Il était incapable de se relever, c'est pourquoi il resta étendu un moment sur le sol. Tout son corps lui faisait mal et il se demanda même s'il n'avait pas quelque chose de cassé. Ses hanches en particulier l'élançaient et ses deux mains étaient ensanglantées. Finalement, il réussit à se relever et, à sa grande surprise, il constata qu'il ne semblait avoir aucune fracture ni rien de majeur. Seulement des bleus et des égratignures. Il parvint même à marcher sans trop de difficulté.

Malgré toutes ces marques sur son corps témoignant de ce qui venait de se passer, Charlie avait du mal à y croire. Zane l'avait jeté du haut d'une falaise. C'était un vrai psychopathe. Charlie aurait voulu remonter tout de suite et lui tordre le cou. Sauf qu'il y avait un petit problème : il n'avait pas d'ailes. Les parois de la falaise étaient beaucoup trop à pic pour qu'il puisse y grimper.

Dans l'espoir de trouver un moyen plus facile de rejoindre les autres, il suivit un sentier qui serpentait à travers les buissons. Il marcha ainsi durant près de cinq minutes qui lui parurent une éternité. Il ne vit rien qui ressemblait à un chemin menant en haut jusqu'à ce qu'il remarque tout à coup une sorte de rigole dans le roc, sans doute provoquée par l'écoulement de l'eau de pluie. Ça restait vraiment abrupt, mais des anfractuosités et des petits arbrisseaux lui donneraient des prises pour son ascension.

— Allez, Apple Juice, c'est le temps de grimper! s'encouragea-t-il tout haut.

Au début, ce fut relativement facile. Puis la pente devint très raide et il dut progresser à quatre pattes, les cailloux et les souches lui égratignant les genoux et les mains. Sa hanche le faisait vraiment souffrir. Il tenta de chasser la douleur de son esprit. Il n'avait pas le choix, s'il voulait retourner jouer la partie. En s'agrippant aux arbustes, Charlie réussit à franchir ce qui était vraisemblablement la pire partie du chemin. Mais, à environ cinq mètres du sommet, il fut bien déçu de trouver un cul-de-sac.

Il n'y arriverait pas. Jusque-là, il avait trouvé la pente escarpée, mais là, le roc était à la verticale. Il regarda un peu partout, espérant découvrir une autre solution. À environ un mètre et demi sur sa droite, une grosse racine faisait saillie. S'il arrivait à s'y rendre, il pourrait sûrement se hisser jusqu'en haut. Mais, pour l'atteindre, il fallait qu'il saute. Et s'il la ratait, ça signifiait: aller simple jusqu'en bas. Il se frotta les côtes et la hanche. Ce n'était pas une perspective réjouissante.

Revenir en arrière par la voie qu'il venait d'emprunter n'était pas non plus une option envisageable et, s'il parvenait à imaginer un autre moyen de redescendre, il se retrouverait de toute façon au même point. Charlie prit un moment pour se préparer mentalement. Il ferma les paupières et inspira profondément. Puis il ouvrit les yeux et s'élança dans le vide. Il put, de justesse, enrouler ses doigts autour de la racine. Cependant, elle était trop large pour lui donner une prise solide et il sentit que ses mains commençaient à glisser. Il tenta de s'accrocher avec les pieds, cherchant désespérément à reprendre son équilibre, mais... Il allait tomber!

Dès qu'il se sentit chuter, son pied droit heurta quelque chose. Était-ce une pierre? Charlie mit autant de pression dessus qu'il le put. Ça semblait tenir. Grâce à cet appui, il réussit à agripper plus solidement la racine et à se hisser à la force des bras. L'effort lui fit très mal aux côtes et au ventre, mais il surmonta la douleur, tout à son désir de se sortir de cette situation. Il examina ce qu'il y avait au-dessus de sa tête, à la recherche de quelque chose qui pourrait l'aider, et il découvrit une branche qui paraissait solide et à laquelle il se cramponna. Il ferma les yeux et soupira:

— C'est le temps d'y aller, Joyce!

Au compte de trois, en se servant de la branche comme d'une corde, il s'éleva jusqu'en haut de la falaise. Il se laissa tomber, dos au sol, épuisé, couvert de sueur, de terre et de boue, et il rejoua toute la scène dans sa tête.

Mais le son de voix le tira de ses pensées.

— C'est tellement plate. On fait juste se tenir là, à rien faire, sans bouger. Je veux de l'action!

— Zane nous a dit de garder le drapeau.

— *Big deal!* C'est pas mon boss!

— Ouais, mais c'est pas le genre de gars que t'as le goût de niaiser.

— J'sais. C'est une bête.

— J'ai jamais joué contre un joueur aussi salaud que lui. Hier, à la pratique, il m'a dardé. Sans raison, juste de même.

— J'peux pas croire qu'il ait fait ça au gars... Comment il s'appelle?

— Joyce. Charlie Joyce.

— Il doit avoir mal partout.

— Y a dû se casser quelque chose... J'veux dire, c'était une *vraie* falaise.

— C'était le même gars qui avait foiré avec la corde, hein?

— Ouaip, et paraît qu'il a perdu son équipement, pis que Jen était en beau maudit contre lui.

— Ouais... Mais Zane va se faire pogner pour ça – et nous autres aussi, sûrement.

Charlie reconnut la voix de Richard, dont le ton était visiblement soucieux.

— J'le connais pas vraiment, ce gars-là, mais... c'était vraiment débile, continua Richard. On aurait pu le tuer!

— Pas "on", c'était Zane! Il va sûrement se faire mettre dehors pour ça.

— M'en fous complètement.

— En tout cas, j'comprends toujours pas pourquoi on est obligés de rester ici à rien faire, juste à garder le drapeau. Au moins, on devrait se relayer.

— Bien d'accord. J'suis tanné, moi aussi. J'ai le goût de chercher le drapeau des bleus, pis de plaquer un gars.

— Moi aussi. Zane a juste à le garder lui-même, son maudit drapeau !

— On peut pas tous y aller, remarqua Richard.

— Ben là ! Comme si quelqu'un allait le trouver, derrière l'arbre ! C'est la meilleure cachette, personne trouvera rien.

Trois rouges partirent, laissant Richard et un autre garçon sur place.

L'idée frappa Charlie subitement : le drapeau ! Caché derrière un arbre ! Il dut mettre sa main sur sa bouche pour s'empêcher d'éclater de rire. Le drapeau était à côté de lui, à portée de main ! Et les gars qui croyaient que personne ne pourrait le découvrir... Charlie étira le bras et saisit le drapeau.

Le *timing* était parfait. Trois des gardes étaient partis, et les deux qui restaient se trouvaient à une bonne dizaine de mètres. Redescendre par la falaise étant impossible, Charlie savait qu'il aurait à les semer en courant, ce qui ne le réjouissait pas vraiment, tellement il avait mal partout. Sa hanche était très douloureuse, les égratignures dans les paumes de ses deux mains brûlaient comme du feu, et des coupures et des bleus recouvraient ses jambes et ses bras. Mais après ce que Zane lui avait fait vivre, il aurait été prêt à traverser des flammes si ça pouvait lui permettre de gagner ce stupide jeu.

Il rampa aussi doucement qu'il le put jusqu'à l'orée des buissons. Richard et son acolyte ne surveillaient pas le drapeau. Charlie se releva, fit une petite boule de l'étendard (au cas où il devrait le lancer) et émergea des buissons.

— Tabar... Le drapeau! Y a pris le drapeau!

— Alerte rouge! Alerte rouge! Le drapeau a été pris!

— Attrapez-le!

Charlie ne regarda pas derrière lui. Sa seule chance de survie était de foncer. Il émergea dans le champ ventre à terre, avec Richard et l'autre garçon à ses trousses. Il crut un instant qu'il avait réussi à les semer, lorsque plusieurs rouges surgirent et se ruèrent sur lui. Nick était parmi eux. Pire : Jake et Markus arrivaient d'un autre côté à toute allure. Charlie était cerné. Il regarda désespérément de tous côtés, à la recherche d'une issue.

— Charlie! J'arrive!

Slogger galopait vers lui. Charlie s'élança à sa rencontre.

— Attrapez-le! cria un des rouges.

Charlie fit de grands signes à Slogger.

— Va par là! hurla-t-il à son coéquipier qui lui fit un signe de tête, ayant visiblement compris.

Charlie courut tout droit vers Nick et les autres. À la dernière seconde, il ralentit et passa le drapeau à Slogger. Charlie continua sa course jusque dans les rangs des rouges, fonçant sur eux comme un joueur de football. Nick et deux joueurs perdirent l'équilibre, tombèrent sous la force du choc, et les autres durent s'écarter pour éviter Charlie le Taureau. Finalement, deux rouges lui tombèrent dessus et le plaquèrent au sol.

Sa tactique avait-elle fonctionné? Il mourrait si tout ça avait été inutile. Vraiment.

Soudain, il ressentit une douleur fulgurante dans les côtes. Quelqu'un lui avait donné un coup de pied qui lui avait coupé le souffle.

— Tiens, Apple Juice, ça t'apprendra!

C'était Zane qui se moquait de lui. Charlie se releva, fit deux pas en direction de son ennemi et lui lança son poing dans la figure. Bing! Il l'atteignit en plein menton et Zane s'écrasa au sol. Charlie allait se retourner, mais avant qu'il ait pu amorcer son geste, quelqu'un le plaqua et l'envoya rejoindre Zane par terre. Son corps entier était atrocement douloureux.

— Et ça, comment t'aimes ça? entendit-il.

Charlie leva les yeux. Bien sûr, qui d'autre que Jake pouvait l'attaquer par-derrière?

Sauf qu'une demi-seconde plus tard, Jake s'écroulait à son tour dans l'herbe à côté de Charlie.

— Et toi? Comment t'aimes ça?

C'était Nick. Il avait frappé Jake d'un solide coup de poing. Il tendit la main à Charlie pour l'aider à se relever. Jake et Zane se remirent debout en même temps. Le visage de Zane était écarlate. Il bouillait de rage.

— T'es fait, Apple Juice. T'es mort.

— J'pense pas.

Slogger vint se placer à côté de Charlie et de Nick.

— Essayez même pas! On va vous péter la gueule à tous les trois, menaça Zane.

Simon poussa Jake et prit sa place à côté de Charlie. Puis, ce fut au tour de Gabriel et ensuite de Scott.

— Envoye, vas-y, prévint tranquillement Scott en fixant son regard dans celui de Jake.

Twiiiit… Twiiiit… Twiiiit!

— Messieurs! Êtes-vous devenus fous? Vous vous battez pour le drapeau?

Jen les regardait tous, le visage sévère et les poings sur les hanches. Charlie ne détourna pas les yeux de Jake.

— Allez immédiatement rejoindre vos équipes, tonna Jen.

Elle pointa son doigt sur Charlie.

— Toi, j'ai deux mots à te dire en privé.

Les autres s'éloignèrent en silence.

— Je suis très déçue, Charlie, lui signifia doucement Jen. Je sais que tu es un bon garçon et je me suis efforcée d'être patiente avec toi, mais… Je ne sais pas, Charlie, tu es toujours impliqué dans toutes sortes de…

Elle s'arrêta et écarta une mèche de cheveux de ses yeux.

— Je veux dire… Tu es toujours impliqué dans des situations problématiques. Là, je t'ai vu attaquer Zane. J'ai vu aussi la réaction de Jake – et je vais en parler avec lui –, mais je ne comprends pas pourquoi tu agis comme ça, Charlie. Tu as des problèmes de comportement. As-tu quelque chose à dire pour ta défense ?

Comme d'habitude, Jen n'avait rien vu, rien compris, ou alors, elle s'en moquait éperdument, raisonna Charlie. De toute façon, il n'avait pas envie de lui expliquer.

— J'suis écœuré de ce maudit camp, lâcha-t-il rageusement. Tu veux pas savoir ce qui s'est passé pour vrai ! Tout ce que tu veux, c'est m'accuser !

Jen avait l'air en état de choc. Elle finit par secouer la tête :

— On va reparler de tout ça plus tard. Va rejoindre les autres.

Dès que la femme eut tourné les talons, Scott et Nick rejoignirent Charlie qui présenta son poing à Nick.

— Merci d'avoir plaqué Jake.

— C'est moi qui devrais te remercier de m'avoir donné l'occasion de le faire, rectifia Nick en haussant les épaules.

— T'as plaqué Jake et j'ai raté ça?

Scott se frappa le front.

— Raconte-moi tout. Je veux tous les détails. Et spécialement la partie où Jake s'écroule au sol et qu'il se met à chialer comme un bébé…

— Qu'est-ce que Jen t'a dit? le coupa Nick.

— Elle m'a engueulé, répondit Charlie en secouant la tête. Parce que j'ai "attaqué" Zane.

— Qui pourrait trouver ça mal? questionna Scott, les mains en l'air.

Nick devint sérieux, tout à coup.

— Hé, Charlie! Qu'est-ce qui t'est arrivé? T'es couvert de poussière, y a du sang sur ton chandail et…

— Messieurs, rassemblez-vous à votre bannière, s'il vous plaît, leur ordonna Trevor.

Nick et Scott regardèrent Charlie d'un air inquiet avant d'obéir et de courir vers la zone bleue. Slogger rattrapa Charlie sur le chemin.

— As-tu réussi? l'interrogea Charlie. Qu'est-ce qui s'est passé?

Slogger allait répondre, mais il s'arrêta brusquement et contempla son ami.

— Euh… Ça va? T'as l'air d'être passé sous un train. T'es couvert de boue et… est-ce que c'est du sang, là? demanda-t-il en montrant son t-shirt.

— Je t'expliquerai.

Quand ils furent tout près de la zone des bleus, Charlie vit Simon brandir le drapeau rouge au-dessus de sa tête.

— Oh, *yes!* s'exclama-t-il.

Il courut jusqu'à Simon et le gratifia d'un *high five* sonore.

— Ç'a été un tic-tac-toe classique, un jeu à trois parfaitement exécuté, expliqua Slogger. Tu me l'as passé en lob, j'ai fait la passe latérale à Gabriel, pis il l'a envoyé à Simon. Bingo! Il lance et compte!

— J'aurais voulu voir ça, affirma Charlie en se massant la hanche.

— Où as-tu pris leur drapeau? voulut savoir Simon. On a cherché partout.

— J'ai entendu dire que t'avais été pogné? questionna Gabriel. Qui t'a libéré?

— J'ai vu le drapeau dans un buisson, près de la falaise, répondit Charlie. Je l'ai piqué, pis j'ai couru comme un malade. Mais j'aurais pas réussi sans l'aide de Slogger.

Leurs autres coéquipiers se regroupèrent autour d'eux. Pete s'avança.

— Super job! J'ai juste vu la dernière partie, quand Joyce avait cinq gars sur le dos…

— J'pense pas qu'il y en avait cinq, corrigea modestement Charlie.

Pete se tourna vers lui.

— T'as payé le prix! J'sais pas comment t'as réussi à rester dans le jeu. Comment t'as fait pour revenir jusqu'ici?

— Ben, j'ai juste vu le drapeau dans les feuilles, mentit Charlie, en espérant que Pete ne faisait pas allusion à sa mésaventure avec Zane, dont il ne voulait surtout pas parler pour l'instant.

Mais c'était pourtant exactement ce que Pete évoquait.

— Non, non, j'veux dire: comment t'as fait pour remonter du ravin? Sérieux, je suis content que tu sois tout d'une pièce, ç'a dû faire mal!

— De quoi tu parles? intervint Gabriel.

— Je parle de Zane et de ses chums qui ont lancé Charlie dans le ravin. Y a des rouges qui me l'ont dit. Attends que les coachs apprennent ça. Ils vont se faire sacrer dehors, ça c'est sûr.

Les joueurs se mirent à murmurer et tous les yeux se tournèrent vers Charlie. Il déglutit péniblement. Évidemment, ça aurait été tentant de déballer son sac et que Zane soit puni comme il le méritait. Sauf que…

— J'vais oublier ça, pour l'instant, décréta-t-il. Je me vengerai sur la glace.

Ils restèrent tous muets. Un sourire se dessina sur les lèvres de Pete.

— Alors, t'as récupéré le drapeau en…

— … en remontant de la falaise, ouaip.

Il y eut un long moment de silence complet, puis, subitement, dans un brouhaha total, tous se mirent à parler en même temps. Ils félicitèrent Charlie en lui donnant des *high fives* et en lui ébouriffant les cheveux. Il eut droit au traitement royal. Slogger lui donna une grande tape dans le dos qui lui arracha un cri de douleur.

— Heille, là-bas! Calmez-vous un peu. Tout le monde au centre du terrain. Maintenant!

C'était Trevor. Il tenait la coupe dans ses mains. Quand les joueurs arrivèrent près de lui, il annonça:

— On va faire une autre partie tout à l'heure. Mais d'abord, c'est le moment de la remise du trophée à l'équipe des bleus.

Charlie sentit des mains qui le poussaient pour qu'il aille chercher la coupe. Il crut voir le visage de Jen se durcir quand il prit le trophée des mains de Trevor. Mais, cette fois, il se moquait bien de ce qu'elle pouvait penser. Cette récompense, il l'avait gagnée. Oh que oui! Il souleva la coupe au-dessus de sa tête.

— Charlie! Qu'est-ce qui est arrivé à tes vêtements? demanda Jen dont l'expression avait subitement changé.

Elle semblait vraiment consternée.

— Et tu... tu saignes?

— Qu'est-ce que ça peut te faire? aboya-t-il.

Charlie se dirigea vers ses amis, la coupe toujours en main. Il entendit un des rouges lui crier:

— Tu pourras pisser dedans, Apple Juice.

Mais la grossièreté de cette réplique lui glissa dessus comme de l'eau sur le dos d'un canard. Il n'allait laisser personne gâcher ce moment. Il prit Slogger par le cou et s'écria :

— On fait un tour d'honneur, les gars !

Et, malgré sa hanche douloureuse, malgré ses mains écorchées, malgré ses plaies et ses bosses, il mena ses coéquipiers au pas de course tout autour du terrain, le trophée au bout des bras.

15

Excuses acceptées

Bang, bang, bang.

— C'est ouvert.

Nick et Scott entrèrent dans la chambre. Charlie était étendu sur son lit.

— Vous avez pas confiance en moi? s'étonna-t-il en sortant un œil de sous les draps.

— Confiance? Confiance en Charlie Joyce pour être à l'heure? répéta Scott, incrédule.

Charlie repoussa les couvertures. Il était déjà vêtu.

— J'vous ai eus!

Il sortit du lit avec précaution, tout endolori de sa chute dans le ravin et du coup de pied dans les côtes, cadeaux de Zane. Ses mains aussi lui faisaient encore mal. Il aurait bien pris un jour de congé et, à vrai dire, il se moquait de la perspective d'être renvoyé pour avoir critiqué Jen.

Corey sortit de la salle de bain.

— Comment c'était, le jogging? l'interrogea Charlie.

— Super! J'vais te dire une chose, Charlie, j'étais pas en forme au début du camp, mais là…

Il ne termina pas sa phrase.

— Hé, les *boys*! *Wassup?*

Il s'adressa ensuite à Charlie.

— Mon père avait raison. J'avais pas d'énergie. Mais là, je m'sens fort. Je vais pouvoir jouer ma *game* et dominer. J'ai parlé à Clark.

Il prit un sweat-shirt et un pantalon de jogging dans un tiroir.

— Il va me donner un autre essai sur la 1. Parce que j'ai été malade… Fait que là, je vais tout donner. Mon père dit toujours qu'il faut pratiquer comme si c'était la septième partie de la coupe Stanley.

Le téléphone de Corey sonna. Il étira le bras et répondit.

— Ouais, p'pa… On a eu le drapeau, c'était cool… Non, pas moi… Oui… Mais la pratique hier a super bien été… Oui… Le coach Clark a dit…

Et il alla s'enfermer dans la salle de bain.

— J'ai planifié un horaire parfait pour ce matin, annonça Scott à Charlie et Nick. Un: on descend et on se bourre la face. Deux: on attend que Jen nous dise de nous grouiller de nous préparer pour la pratique et on continue de s'empiffrer. Trois : Trevor arrive, pis nous dit d'y aller, mais on continue à manger jusqu'à temps d'être sur le point de dégueuler, mais ça nous arrête pas. On continue jusqu'à ce qu'on explose.

— Je suis surpris qu'ils t'aient pas nommé directeur du camp, commenta Nick.

— Moi aussi, répliqua Scott.

Corey sortit de la salle de bain.

— Êtes-vous prêts pour le concours d'habileté ? demanda-t-il à la ronde.

Il brancha son téléphone pour le recharger. Les trois amis le scrutèrent avec des regards intrigués. Corey se mit à rire.

— J'avais oublié que vous êtes pas des vétérans comme moi !

Charlie réprima un grognement : son colocataire lui répétait ça au moins quatre fois par jour.

— Y a trois compétitions : *shoot*, *stickhandling* et patin. Ça commence par une compétition dans chaque équipe pour choisir les trois meilleurs. Après, les douze joueurs s'affrontent en finale. Ils ont un pistolet radar pour le concours de *slap shot*. Moi, j'pars avec de l'avance, parce que j'ai des cours de tir chaque semaine. J'en ai déjà shooté un à 80 miles à l'heure. C'est moi qui ai gagné l'an dernier, mais je suis pas mal meilleur cette année. Le plus le fun, c'est le concours de vitesse : deux tours de patinoire, quatre gars à la fois. C'est *malade*! Y a des collisions, y a des gars qui s'effouarent dans les coins, c'est trop drôle!

Il donna une tape dans le dos de Charlie.

— Ben... bonne chance, bredouilla ce dernier.

Corey renifla.

— Ç'a rien à voir avec la chance. Mon père dit toujours que c'est ceux qui travaillent le plus fort qui font leur propre chance.

Il mit ses chaussures.

— Avez-vous vu ça? Paraît que Duncan a été descendu sur la 3! Il avait perdu son dossier – ça faisait déjà deux fois. Ç'a l'air qu'y en a qui comprennent jamais.

En se relevant, il lança:

— On se voit sur la patinoire. Ciao.

Corey traversa la pièce et sortit.

— Ce gars-là est comme une tornade humaine, résuma Scott, incrédule.

— Il est... spécial, admit Charlie en mettant un sweat-shirt. Mais c'est quoi, cette histoire avec Duncan? Y était centre sur la 2, je pense... Perdre son dossier, me semble que c'est pas si grave. C'est le genre de trucs qui pourraient m'arriver.

— Y a des choses encore plus bizarres qui sont arrivées, révéla Scott.

— Par exemple, la corde pendant la course, précisa Nick. Ça reste un mystère.

— Mais pas pour longtemps, déclara Scott. Je sais comment on va faire pour trouver qui a fait le coup.

— Comment ? s'enquit Nick, soudain excité.

— On a juste à trouver celui qui se promène avec un *spray* d'homme invisible : c'est notre coupable.

Nick fit rouler ses yeux dans ses orbites.

— J'apprendrai donc jamais !

Scott fit monter et descendre ses sourcils à plusieurs reprises.

— Encore quelques années, Nick. Mais c'est pas ta faute. C'est juste que t'es un peu attardé.

Au même moment, la tête de Slogger surgit dans le cadre de la porte.

— Êtes-vous prêts ?

Charlie suivit ses amis jusqu'à la cafétéria. S'il avait des doutes au sujet de la théorie de l'homme invisible, il était à peu près certain que le coupable était Nathan, même s'il ne se tenait plus tellement avec Jake ces derniers temps. Dommage pour Duncan. Cette histoire-là lui prouvait que lui-même marchait sur une corde raide, surtout après son altercation avec Zane.

Charlie et Slogger furent parmi les derniers à se rendre au vestiaire ; plusieurs joueurs étaient donc déjà en train de se changer. Il y eut quelques

« Hé, Slogger ! » et autres « Salut, Charlie ! » pour les accueillir. Slogger était très populaire et Charlie se dit que c'était parce qu'il était avec lui qu'il avait droit à des salutations. Mais, peu importe, c'était agréable. Slogger et Charlie s'installèrent à leurs places habituelles, côte à côte dans un coin. Charlie ouvrit son sac et en sortit ses culottes.

— Yo, Charlie ! le héla Gabriel. J'allais oublier : Jen veut te parler.

Charlie sentit immédiatement son ventre se nouer. Ce n'était pas surprenant, mais il avait réussi à écarter l'éventualité qu'elle veuille le rencontrer de son esprit. Il pouvait dire adieu à la compétition d'habileté, ça c'était certain. Le silence se fit dans le vestiaire pendant que Charlie se levait pour sortir. Les gars le savaient, eux aussi. Charlie vit Jen, tout près des machines distributrices.

— Salut, Jen, commença-t-il, mal à l'aise.

Elle leva un sourcil interrogateur.

— Oui, Charlie, qu'est-ce que je peux faire pour toi ?

Sa question le dérouta. N'avait-elle pas demandé de le rencontrer ? Quoi qu'il en soit, Charlie se dit qu'il valait mieux en finir tout de suite : il s'excuserait, il serait puni. Et voilà. Ensuite, on passerait à autre chose. Il s'éclaircit la gorge, cherchant à gagner un peu de temps afin de choisir les bons mots.

— Je… euh… Je voulais… euh… m'excuser pour… euh, ben… tu sais… Pour ce que je t'ai dit hier. Je… euh… Peut-être que j'ai… euh, non… Je me suis mis en colère, mais… c'était pas contre toi… C'était contre les autres gars…

Il baissa les yeux.

— Je pensais qu'ils… Je pensais qu'ils…

— Tu pensais qu'ils quoi? demanda doucement Jen.

Son ton le surprit. Elle avait presque l'air amical. Mais il ne pouvait se résoudre à lui raconter toute l'histoire.

— Je suis désolé, murmura-t-il. Je voulais pas…

Jen colla sa tablette sur sa poitrine avec ses bras.

— J'apprécie, Charlie. Vraiment. Tu sais, je comprends que ce camp puisse être… stressant. Et je constate que ça n'a pas été très facile pour toi, jusqu'à maintenant.

Elle inspira profondément.

— J'ai entendu dire que la capture du drapeau avait été un peu… rock'n'roll. Est-ce que tu as des détails?

Il secoua énergiquement la tête. Maintenant qu'il avait réglé ses problèmes, il n'allait pas se mettre encore Zane à dos en le dénonçant.

Jen décroisa ses bras.

— Je dis ça parce que tu avais l'air un peu… secoué après la partie.

Il se contenta de nier de nouveau de la tête.

— Bon, très bien, Charlie. Pas de problème. Est-ce que je peux faire autre chose pour toi?

Le garçon n'en croyait pas ses oreilles : c'était tout ? Ça finissait comme ça ? Il ne serait pas puni !

La tension disparut.

— Non, merci, Jen. Quand Gabriel m'a dit que tu voulais me parler, j'ai décidé de venir m'excuser. C'est tout…

La femme lui sourit.

— Je n'ai jamais dit que je voulais te parler.

Il la dévisagea. Elle lui souriait toujours, les sourcils en arc de cercle. Elle mit sa tablette sur sa hanche et ajouta :

— Ton ami Gabriel est un peu mêlé.

Charlie se sentait idiot.

— Ouais, p't'êt'… Je vais aller lui demander. Merci, Jen.

Il tourna les talons et courut presque en direction du vestiaire. Quand il franchit la porte, tout le monde se mit à rire. Il était planté là, au milieu de la pièce, les yeux ronds. L'avaient-ils entendu s'excuser auprès de Jen ?

— Alors, la petite conversation avec Jen, ç'a bien été ? s'enquit Simon.

Les rires redoublèrent. Charlie comprit : ses amis s'étaient moqués de lui et il était tombé dans le panneau à pieds joints. Simon riait tellement qu'il avait dû s'étendre sur le banc. Très vite, Charlie fut celui qui riait le plus fort et il échangea un *high five* complice avec Gabriel. Du coin de l'œil, il remarqua que Jake, Zane et Markus ne participaient pas à l'hilarité générale.

— C'était vraiment chien, reconnut Charlie avec un sourire. Je devais avoir l'air tellement mongol! Elle a dû croire que j'avais oublié ma cervelle, cette fois-ci!

Il s'assit et s'adressa à Slogger:

— T'étais là-dedans, toi?

— Pas vraiment, répondit Gabriel à sa place. À part le fait que c'était son idée…

Charlie regarda Slogger:

— Tu sais ce que ça veut dire?

— La guerre?

— La guerre.

Trevor entra dans le vestiaire.

— Dépêchez-vous, les gars! La glace est prête. Vous allez voir, ça va être très amusant. On va d'abord se réchauffer un peu, et ensuite, on commence les compétitions.

Charlie mit son équipement aussi vite qu'il le put. Il était encore le dernier, mais cette fois, c'était à cause de sa conversation avec Jen. Il prit son bâton et allait sortir du vestiaire lorsque Richard entra. Il n'avait pas son casque et il semblait anxieux. Une seconde plus tard, deux autres gars arrivèrent à sa suite: Nathan et un autre, qui s'appelait James, mais que Charlie ne connaissait pas vraiment. Ils gardaient les yeux rivés au sol et ne disaient rien. L'estomac de Charlie se noua de nouveau. Mais il n'arrivait pas à croire qu'ils allaient tenter quoi que ce soit… pas avec les entraîneurs tout près.

— Salut, fit Richard.

— Salut, répondit Charlie, inquiet.

Puis ce fut le silence.

— Vous cherchez quelque chose? voulut savoir Charlie.

— Chercher quelque chose? répéta Richard, comme si la question le surprenait. Non, on cherche rien. En fait, on voudrait te parler.

L'imagination de Charlie tournait comme un hamster dans sa roue. Il ne savait pas si ces trois-là étaient amis. James et Nathan étaient dans l'équipe 2, alors ils devaient être amis. Mais Richard était dans la 1, et Charlie l'évitait depuis la course à obstacles et la capture du drapeau.

— Parler de quoi…? bredouilla Charlie, toujours aussi mal à l'aise.

Les trois garçons se regardèrent, puis ils dévisagèrent Charlie. James s'appuya sur son bâton et Nathan fit rebondir le sien sur le tapis de caoutchouc.

— On se sent mal pour ce qui s'est passé… pendant le jeu du drapeau, avoua enfin Richard.

— On a été cons, reconnut James.

— On n'aurait jamais pensé que Zane allait faire… ce qu'il a fait, ajouta Nathan.

— Il avait dit qu'on ferait juste te faire peur… juste te niaiser un peu, continua Richard.

Soudain, Charlie se souvint : c'étaient eux qui l'avaient transporté avec Zane, en le tenant par les pieds et les aisselles jusqu'au bord du ravin. Mais ils ne l'avaient pas lancé. Ça, c'était Zane. Seulement Zane.

Richard reprit :

— Sérieux, j'arrive pas à y croire. J'veux dire, c'était malade… Zane est malade…

Il baissa de nouveau les yeux et ajouta :

— J'voulais m'excuser. Je… J'aurais jamais dû aller jusque-là avec Zane. J'veux dire… c'est pas mon genre, ça. Jamais je fais des trucs comme ça. C'était… ben… euh… En tout cas, je m'excuse. Et merci de ne pas en avoir parlé à Jen… ni aux coachs.

— Moi aussi, déclara Nathan. J'm'excuse.

— Moi aussi, confirma James.

Ils observèrent Charlie tous les trois en même temps.

— OK, c'est cool, accepta finalement ce dernier. C'est Zane, c'est pas votre faute. Je sais que vous vouliez juste niaiser.

Il grimaça avant d'ajouter :

— En passant, s'il m'avait pas pitché en bas de la falaise, j'aurais jamais pu vous piquer le drapeau.

La tension s'évanouit tout à coup. Brusquement, ils n'étaient plus que quatre coéquipiers à une école de hockey qui plaisantaient ensemble.

— J'ai adoré comment t'as planté Zane sur le terrain, confia James.

— Y aurait mérité bien pire que ça, opina Nathan.

— C'était quand même très cool de le voir manger un peu de terre. Y a pas mal de gars qui ont apprécié. C'te gros con-là, il pense que le camp lui appartient, commenta Richard.

Une question surgit subitement dans la tête de Charlie :

— Vous avez rien entendu au sujet de la corde disparue pendant la course à obstacles ? Y a personne qui a parlé ? Je sais pas si vous vous rappelez : quand je suis arrivé au mur, y avait plus de corde. En fait, elle était de l'autre côté. Pis quand Jake est arrivé, ben… Je me demandais, puisque Nathan est passé juste avant moi, si… euh…

Richard et James scrutèrent Nathan.

— Je me rappelle pas que la corde ait pas été là. Si c'est bien ta question, répondit Nathan. J'étais derrière J. C., pas mal loin derrière, et il devait être déjà de l'autre côté quand j'ai commencé à grimper. J'me souviens de rien d'autre.

— J'ai rien entendu à ce sujet-là, attesta Richard.

— Moi non plus, confirma James.

La porte s'ouvrit et Trevor entra. Il soupira et leva les mains au ciel.

— Est-ce qu'il y en a parmi vous qui ont envie de jouer au hockey ?

— On discutait de stratégie pour la compétition, plaida Charlie.

— Discutez-en donc sur la glace, trancha l'entraîneur.

— Ç'a l'air d'un bon plan, répliqua Richard.

— Bonne chance, lança Charlie à Nathan et James alors qu'ils se dirigeaient vers la patinoire occupée par l'équipe 2.

Ils s'arrêtèrent, reculèrent et tendirent leurs gants à Charlie qui frappa chaque poing, et ils reprirent leur chemin. Charlie emprunta le corridor jusqu'à la patinoire en repensant à leurs excuses. C'était inattendu, mais, surtout, ça exigeait du courage. Évidemment, le fait qu'il n'ait rien dit à Jen ou aux instructeurs avait peut-être pesé dans la balance, mais tout de même, ce n'est jamais facile de présenter des excuses. Le pire, c'était que le seul vrai coupable, c'était Zane. La réponse de Nathan au sujet de la corde trottait dans la tête de Charlie. Jusque-là, il avait été convaincu que celui-ci avait oublié de la renvoyer. Mais maintenant, il croyait en sa version. Nathan semblait être un bon gars. Charlie avait présumé que cette histoire de corde était une affaire classée, mais voilà qu'il revenait à la case départ.

Perdu dans ses pensées, il sursauta quand une voix forte cria :

— 'tention !

Slogger lui envoya une passe canon. Charlie sourit et fit quelques enjambées pour aller cueillir la rondelle. Il dribbla et la lui renvoya aussitôt. Slogger patina vers le filet, fit une feinte du revers et passa la *puck* entre ses jambes à Charlie, qui se trouvait derrière lui. Celui-ci tira en pleine lucarne sans arrêter le disque.

— Et c'est le but! clama-t-il.

— C'est moi qui ai tout fait! s'écria Slogger.

Ils se frappèrent mutuellement les jambières. Avant qu'ils aient le temps de recommencer une montée, Trevor siffla. La compétition allait débuter.

16

Nuageux, avec possibilité d'orage

Charlie noua ensemble les lacets de ses patins et les mit sur son épaule. Il s'efforçait de ne pas trop s'angoisser en pensant à la grande finale du concours d'habileté. Il avait déjà participé à deux épreuves : le maniement de la rondelle et le patin. La course avait été complètement chaotique et Savard, Gabriel, Jake, Tan et lui avaient fini presque en même temps. L'arrivée avait été tellement serrée qu'ils avaient tous été retenus pour la finale, à l'exception de Tan. Maintenant, il fallait qu'il se rende à l'autre patinoire pour affronter les gagnants des autres équipes. Slogger avait terminé deuxième au concours de lancer frappé, derrière Burnett, et il l'attendait à la porte.

— Grouille, la superstar, ça commence dans dix minutes, le pressa Slogger.

Charlie ferma son sac, prit ses bâtons et se dirigea vers la sortie.

— Tu me remontes toujours le moral, toi, affirma-t-il.

Slogger se contenta de grogner et il suivit Charlie dans le couloir. Trevor, qui était près de la grande porte, la leur ouvrit.

— Je vous tiens la porte seulement parce que vous êtes en finale, expliqua-t-il en souriant.

Charlie rougit, mais Slogger n'était pas gêné du tout. Il lança à Trevor, en montrant son compagnon du pouce :

— On se demande comment ça se fait qu'il est là, lui… Il shoote comme une fillette.

L'homme se mit à rire.

— Rappelle-toi que Gretzky n'avait pas un très bon tir, mais il en a compté quelques-uns…

— Ouais, mais ça l'aidera pas à gagner le concours, ça, ironisa Slogger en regardant Charlie.

Trevor rit de nouveau.

— T'as sûrement raison, Slogger. Mets toute la gomme.

— Oh que oui !

Ils arrivèrent bientôt à l'autre patinoire et se dirigèrent vers les vestiaires.

— On peut aller dans le 2 ou le 3. As-tu une préférence ?

— J'aime les chiffres pairs, décréta Slogger.

Dès que Charlie ouvrit la porte, il se rendit compte qu'il aurait dû choisir l'autre. Jake et Zane étaient là (Jake pour l'épreuve de patin, Zane pour le tir), et Savard et Gabriel aussi. Charlie alla s'installer à côté d'eux. À peine s'était-il assis que ses deux voisins se levèrent.

— Est-ce que j'ai dit quelque chose de pas correct? plaisanta Charlie.

— Non, pas cette fois, répondit Gabriel. La glace est prête, qu'est-ce que tu faisais?

— J'ai dû attendre Slogger, plaida Charlie.

Gabriel le regarda en fronçant les sourcils.

— Et tu penses que je vais croire ça?

— Ben… J'ai perdu un peu de temps en enlevant mes patins, avoua Charlie d'un ton coupable.

Jake lança, depuis l'autre bout du vestiaire:

— Bonne chance, les gars! Ça va être le fun!

Charlie n'était pas certain de savoir à qui s'adressaient ces encouragements. Sûrement pas à lui!

— J'vois pas qui pourrait te battre en *stickhandling*, J. C., dit Jake.

Savard semblait hésitant.

— On verra. Y a de la compétition.

— Bonne chance pour la course! continua Jake d'un ton cordial.

Savard hocha la tête.

— J'vais essayer de finir deuxième, prétendit encore Jake.

— Ouais, cool! Bonne chance! répondit Savard avant d'ouvrir la porte à Gabriel qu'il suivit hors du vestiaire.

Jake s'appuya contre un mur, les yeux mi-clos et les lèvres pincées.

— Et, bien sûr, bonne chance à mon cher ami Charlie Joyce! Mon Dieu! T'es dans deux finales! Je suis tellement fier de toi!

Charlie se mit à lacer ses patins.

— Et, du plus profond de mon cœur, bonne chance à toi aussi, Slogger! Heille, Joyce! Paraît que tes amis Scotter et Nicolas ont fait les finales, eux aussi? C'est pour la 3, mais quand même!

Slogger secoua la tête. Jake et Zane se levèrent.

— Toujours un plaisir de bavarder avec vous, mes amis, lâcha Jake.

Zane grimaça et suivit son acolyte dans le couloir. Quand la porte se referma, Slogger grommela:

— J'sais pas comment tu fais. Si c'était moi, je péterais ma coche. J'aurais sûrement été sacré dehors le deuxième jour.

Charlie finissait de resserrer ses lacets.

— J'comprends pas Jake, admit-il. C'est le *bully* parfait, mais qu'est-ce que ça lui rapporte? Le pire, c'est qu'il peut être drôle – tu l'as vu faire. Et à l'école, il est assez populaire. Mais il finit toujours par s'arranger pour que le monde l'haïsse, même les filles. Le mieux, c'est de l'ignorer. Il va toujours gagner les concours de trouduc.

— Oh, oui, c'est le champion du monde des trouducs! acquiesça Slogger en se levant. Prêt?

— Prêt!

Ils avaient à peine fait quelques pas hors du vestiaire quand Charlie aperçut Corey qui arrivait en courant. Quand celui-ci les vit, il ralentit subitement et se mit à marcher, une drôle de grimace sur le visage.

— Hé, Corey! Y a encore plein de sièges vides, pas la peine de courir, plaisanta Charlie. Y a, genre, 5 000 places.

— Je sais, je sais… J'y vais, là.

Il était pâle et avait l'air très mal à l'aise.

— Comment ç'a été, le concours? s'enquit Charlie qui regretta aussitôt d'avoir posé cette question.

Corey était en survêtement, ce qui signifiait qu'il n'avait pas participé aux finales.

— J'ai pété mon hockey pendant le *warm-up*, geignit-il. C'était un bâton d'marde. Pas assez rigide. Pis là, pendant la course, j'ai frappé une bosse dans un coin. C'est le pire camp de toute ma vie! J'étais plus capable de me concentrer, après ça, et j'ai été super poche au *stickhandling*.

Il regarda devant lui, les yeux dans le vide.

— On se voit t'à l'heure. J'espère que ça va bien aller pour vous, grommela-t-il en se frayant un chemin entre eux en direction du hall.

— Ce gars-là vient d'une autre planète, affirma Slogger.

Charlie ne répondit pas. Son ami ne savait rien de la relation entre Corey et son père. Charlie se doutait bien que son colocataire n'avait pas vraiment hâte d'avoir une conversation avec son père.

Aussitôt que Charlie posa le patin sur la surface parfaitement lisse de la patinoire, Scott et Nick arrivèrent en trombe.

— Oh, *boy*! La compétition doit être poche si vous y participez, se moqua Charlie.

— T'es inscrit dans quoi? voulut savoir Nick.

— *Stickhandling* et patin, le renseigna Charlie. Slogger fait le concours de *slap shot*.

— Le *slap?* reprit Scott. Dommage pour toi, je le fais aussi. T'as aucune chance.

— Je… vais… te… détruire, articula Slogger d'une voix de robot.

Scott secoua la tête en prenant une mine boudeuse.

— Je sais que les gars de la 1 capotent quand ils perdent. Je devrais peut-être vous laisser gagner.

— Excellente idée! approuva Slogger.

Ils rirent et se frappèrent les jambières.

— OK, on va se réchauffer un peu. On va leur montrer de quoi on est capables; ils vont être traumatisés, déclara Scott à Slogger, et ils allèrent récupérer des rondelles dans le filet.

— Prêt? demanda Charlie à Nick.

Ils firent quelques tours de patinoire pour se délier les jambes, avant que Trevor siffle et leur demande de se réunir au centre de la glace.

— OK, les gars. Voici l'ordre de la compétition. Premièrement, maniement de la rondelle, deuxièmement, concours de tir, et troisièmement, la course. Pour les deux premières épreuves, on y va par ordre d'équipes : d'abord la 1, puis la 2, etc. Pour la course, il y aura deux groupes de six, et ensuite, la grande finale. Les gars qui sont inscrits pour le maniement, allez là-bas.

Jen et Trevor installèrent les pylônes en zigzag. Quand ils eurent fini, l'instructeur s'approcha du groupe de joueurs.

— La 1 commence. Qui se lance le premier?

Savard, Gabriel et Charlie se regardèrent. Aucun ne voulait commencer. C'était toujours mieux de se détendre en observant les autres. Finalement, Charlie se porta volontaire. Il passa une rondelle à Trevor et s'avança.

— OK, vous savez quoi faire. C'est comme d'habitude. Vous patinez entre les huit pylônes et vous terminez en lançant au but. Si vous manquez le filet, le chrono continue de tourner. C'est bon?

Charlie approuva de la tête.

— À vos marques… prêts… partez!

Charlie poussa la *puck* devant lui et contourna le premier pylône, en haut du cercle de mise en jeu, le disque sur son revers. Il évita le deuxième, la rondelle sur son coup droit, cette fois. Il prit bientôt de plus en plus confiance en lui. Après le sixième pylône, il patinait à une vitesse qu'il n'avait jamais atteinte lors des exercices précédents. Il coupa presque à l'horizontale pour contourner le septième pylône et fonça vers le dernier.

Soudain, les spectateurs poussèrent un cri étouffé et Charlie lança un gros mot retentissant: la *puck* s'était immobilisée dans une flaque d'eau près d'un pylône. Le garçon dut revenir sur ses pas pour la récupérer. Il tira au filet afin d'arrêter le chronomètre, même s'il savait que c'en était fini pour lui. Il avait perdu trop de temps. Jamais il ne pourrait battre des gazelles comme Savard et Gabriel.

Charlie frappa la bande de son bâton en signe de dépit et alla s'asseoir au banc. Scott et Nick vinrent le rejoindre.

— Pas certain que c'était l'idée du siècle d'arrêter la *puck*, Joyce, émit Scott.

— Laisse-moi donc lui dire les bons mots, Scott, intervint Nick. T'as été *tellement* poche, Charlie!

Et il tapota son casque.

— Sérieux, c'était ridicule. Tu devrais avoir un autre essai. T'étais le premier, mais là, la glace va être parfaite pour les autres. C'est pas juste.

Burnett les rejoignit.

— T'étais bien parti, Charlie. C'est plate, ce qui est arrivé.

— J'pense pas que j'aurais pu battre J. C., de toute façon, confia Charlie.

Et, justement, Savard s'élançait au même moment, donnant une preuve éclatante de son talent. Il évita la petite mare où Charlie avait perdu le contrôle du disque et envoya un tir du poignet puissant dans le haut du filet. Ensuite, ce fut au tour de Gabriel, qui fit presque aussi bien que Savard, finissant à un minuscule dixième de seconde derrière lui. Après ça, personne ne réussit à s'approcher de leurs résultats : la troisième position alla à Pete, dont l'agilité impressionna Charlie.

La compétition de tir fut amusante à regarder – particulièrement à cause des singeries de Scott –, mais Charlie se sentait un peu déprimé par son échec en maniement de rondelle. Après chaque lancer, la vitesse du tir était inscrite sur un tableau électronique. Chaque concurrent avait droit à trois essais. À la toute fin, Burnett battit Slogger et remporta la compétition, Scott finissant troisième. La conclusion eut l'effet de sortir Charlie de sa torpeur. Après tout, il aurait encore la chance de se racheter pendant la course.

Les participants de cette dernière épreuve se rassemblèrent autour de Trevor.

— Bon, je sais que vous vous êtes déjà exercés avec votre équipe, mais pour que tout soit parfaitement clair, je vais récapituler. Vous commencez à la ligne des buts. Vous faites deux tours, mais comme la ligne d'arrivée est au centre, en fait, vous faites un peu plus de deux tours. On se pousse pas. On triche pas. Faites attention en contournant les buts. Les trois joueurs les plus rapides se retrouveront en finale. Bon, j'ai mis vos noms dans ma casquette et j'ai pigé au hasard les noms des groupes. Placez-vous en rang selon l'ordre des noms appelés.

Il poursuivit.

— OK… Jake, J. C., Peter, Nick, Mathew et Charlie. Les autres, vous serez dans le groupe 2. Vous pouvez vous placer au centre et ne vous gênez pas pour encourager les *boys*! Au coup de sifflet, la course commence.

Charlie fit une évaluation rapide de l'état des forces en présence. Il n'avait jamais eu l'occasion de voir jouer Mathew, de l'équipe 4. Mais les autres, il ne les connaissait que trop bien : tous d'excellents patineurs. D'expérience, il savait qu'il était très difficile de reprendre du terrain si on se faisait dépasser, en particulier autour des filets. Il décida de tout tenter pour rester dans le peloton de tête et, à la fin, advienne que pourra, il essaierait de se faufiler.

Trevor leva la main.

— À vos marques… Prêts…

Il porta le sifflet à ses lèvres.

Twiiiit !

Charlie démarra en trombe, poussant très fort sur les lames de ses patins. Il fit une dizaine d'enjambées puissantes avant d'atteindre sa vitesse de croisière. Quand il franchit la ligne rouge, il volait presque. Il était en tête, vraiment concentré. Mais à la ligne bleue, il risqua un petit coup d'œil par-dessus son épaule. Pete et Jake se trouvaient à une enjambée de lui environ, et il avait à peu près une demi-longueur d'avance sur Savard. Pas grand-chose. Nick n'était pas bien loin, lui non plus. «Parfait», pensa-t-il. S'il devançait J. C., il serait le premier à négocier le virage derrière le filet et les autres seraient obligés de passer derrière lui et de ralentir.

Il entendait ses poursuivants respirer bruyamment. Charlie se pencha très bas et, les lames de ses patins s'entrecroisant, il contourna le filet. Son épaule effleura les mailles tant il était près, mais ça ne le ralentit pas. Les spectateurs faisaient un incroyable vacarme, criant et tapant des mains pour les encourager. Leur excitation eut l'effet de stimuler Charlie qui redoubla d'ardeur en finissant son virage. Il avait réussi : il était en tête !

Mais il savait bien que ses rapides concurrents n'étaient pas bien loin et qu'il avait sans doute bénéficié de l'effet de surprise. Ils croyaient peut-être qu'il allait se fatiguer. Eh bien, il allait les épater ! Cette course, c'était *sa* course. Charlie entama le dernier tour. Puisque Savard et Jake n'étaient qu'à quelques foulées de lui, il n'osa pas ralentir. Au contraire, il se força à accélérer, insensible aux élancements dans ses jambes et à ses poumons brûlants. Il allait tout donner.

Ceux qui observaient la course, rassemblés au milieu de la patinoire, étaient en train de devenir fous et les joueurs du groupe suivant frappaient la glace de leurs bâtons comme des forcenés. Charlie, lui, se concentrait plutôt sur le son des lames qui mordaient la glace, tout juste derrière lui. Le dernier demi-tour allait être infernal. Savard, à sa gauche, l'avait presque rattrapé. Charlie se rendit compte que si J. C. devait tenter une manœuvre, ce serait maintenant, puisqu'il ne restait qu'un dernier virage. Charlie dériva un peu vers sa droite, forçant ainsi Savard à s'écarter, et il attaqua le tournant final, derrière le filet. La tactique fonctionna. Savard fut obligé de se pousser légèrement et de dévier de sa trajectoire.

Mais, alors, Jake, sorti de nulle part, tenta de se glisser entre Charlie et J. C. Il passa tout près du poteau – trop près –, son patin se prit dans les amarres du filet et il heurta Charlie qui, à son tour, bouscula Savard. Les trois coureurs s'écroulèrent, Savard recevant le plus fort de l'impact puisqu'il était le plus près de la bande. Finalement, ils se retrouvèrent tous les trois l'un par-dessus l'autre, enchevêtrés dans un mélange de bras et de jambes.

— Qu'est-ce que t'as fait? cria J. C., encore ébranlé. Tasse-toi!

Il donna un coup de poing sur la grille de Charlie qui n'en revenait pas, puisque c'était Jake le responsable, et qui reçut un autre coup, dans le dos, cette fois.

— Joyce a encore triché, prétendit Jake, tout en essayant de se relever tant bien que mal. Il voyait qu'il allait perdre, pis il m'a fait trébucher. Tellement typique !

Charlie lança ses gants juste sous le menton de Jake et le poussa sur la bande.

— C'est toi qui m'as foncé dedans ! J'suis tellement écœuré de tout ça !

Jake le repoussa des deux mains et Charlie buta sur le patin de Savard. Il s'écrasa sur la glace.

— Touche-moi pas ! hurla J. C.

— Ouais ! Lâche-le ! cria Jake.

Ce dernier tendit une main charitable à Savard, l'aida à se relever, tout en commentant :

— Ça fait deux fois que ce gars-là fait foirer tes courses, *man.* Je commence à en avoir plein l'c…

Entre-temps, Charlie, qui s'était aussi remis debout, allait sauter sur Jake quand Trevor intervint.

— Wô, wô, wô, là ! Calmez-vous ! Je vais aller parler à Jen. Elle a sûrement vu mieux que moi ce qui est arrivé. En attendant, tenez-vous tranquilles !

Cette fois, c'était la goutte d'eau qui faisait déborder le vase. Charlie en avait assez. *Vraiment* assez. Demander à Jen ce qui s'était passé ? N'était-ce pas évident ?

— Pas la peine, gronda-t-il entre ses dents.
Disqualifie-moi. J'm'en sacre. J'me sacre de cette
stupide course, pis j'me sacre de ce stupide camp.
Je m'en sacre!

Il poussa Savard et patina jusqu'à la porte qui
menait au vestiaire. Des huées accompagnèrent sa
sortie, et Markus et Zane se moquèrent de lui
quand il quitta la glace. Cette course, c'était le
point de non-retour. Comment avaient-ils fait pour
ne pas voir Jake lui foncer dedans? Et Savard qui
lui donnait un coup de poing en pleine figure! Il
perdit tout le respect qu'il avait pour lui.

Scott, Nick et Slogger l'attendaient le long de la
bande. Scott lui lança:

— On se voit dehors.

Charlie hocha la tête, mais ne s'arrêta pas pour
leur parler. Il en avait marre de parler. Marre d'essayer d'impressionner les instructeurs. Marre de
tout. C'était fini, un point, c'est tout. Il lui restait
encore deux jours et, ensuite, il rentrerait chez lui.

17

La main dans le sac

Charlie entra dans le vestiaire vraiment en colère. Il enleva un patin et le lança dans son sac. Il aurait eu envie de le jeter contre le mur. Les réveils qui ne sonnaient pas, les cordes qui se retrouvaient mystérieusement du mauvais côté des murs, les sacs qui disparaissaient comme par magie... Il s'était fait précipiter dans un ravin, une Zamboni avait laissé des flaques d'eau, et maintenant, il se faisait disqualifier sans aucune raison ! Ce camp était maudit ou hanté, ou alors, c'était lui qui subissait une malédiction.

Il avait à peine enlevé son deuxième patin lorsque Trevor arriva, suivi de Savard, Jake, Burnett et Slogger. L'instructeur n'avait pas l'air de bonne humeur.

— Charlie, je t'avais dit d'attendre que je parle à Jen. Étant donné les circonstances, je peux comprendre que tu sois fâché, mais quand même...

Le fautif ne savait pas quoi répondre. Pourquoi serait-il resté là à attendre qu'ils le disqualifient? Entre-temps, Jake s'était assis et avait commencé à délacer ses patins. Il semblait furieux.

— Bon. Comme je l'avais indiqué, j'ai parlé avec Jen et elle m'a confirmé qu'elle a tout vu, annonça Trevor calmement. Elle m'a dit avoir vu Jake essayer de te repousser vers le filet, que son geste a provoqué une collision et que c'est ce qui t'a fait heurter J. C. J'ai raté ça, je suis désolé. J'étais pas concentré, j'étais avec les gars, plus loin. J'ai juste vu la fin. Quoi qu'il en soit, Nick a gagné et Pete a fini deuxième. Ça ne sert à rien de leur faire recommencer la course. Mais j'ai parlé aux coachs et on a décidé que J. C. et toi alliez avoir une passe pour la finale. Ça sera une course à quatre plutôt qu'à trois. Donc, tu devrais remettre tes patins, mon gars, tu vas en avoir besoin!

Cette fois, Charlie se sentit ridicule d'avoir quitté la patinoire brusquement.

— Donne-moi une seconde, j'arrive. Euh… Désolé d'avoir… euh… capoté. J'ai été stupide.

Savard s'avança vers Charlie.

— C'est moi qui ai été stupide et c'est moi qui devrais m'excuser. Désolé pour le coup de poing. J'ai pas d'excuses.

Il tendit son gant et Charlie, un peu mal à l'aise, tapa dessus. Pendant tout ce temps, Jake, dans son coin, faisait en sorte que tout le monde comprenne bien qu'il était hors de lui : il lançait les pièces de son équipement. Finalement, il prit son sac et le fit voler à travers la pièce.

— C'est un camp de marde et c'était une décision de marde ! cria-t-il. Joyce me coupe, m'envoie sur le cul, et c'est MOI que tu disqualifies ! Bonne décision, Trevor ! Très juste…

Mais personne ne l'écoutait. Tous les yeux étaient rivés au plancher. Ils regardaient tous la même chose : la bague de la coupe Stanley de Miller ! Elle avait émergé du sac de Jake quand il l'avait lancé.

— … mais Joyce, lui, il peut faire n'importe quoi, pis y est jamais puni…

Ses paroles moururent quand il vit le bijou.

— D'où ça sort ? bredouilla Jake, hagard.

Trevor répondit, en détachant chaque syllabe :

— De ton sac. As-tu une explication ?

Jake le dévisagea. Charlie n'avait jamais vu une telle expression sur son visage. Il semblait effrayé, comme un enfant. Et en dépit de tout ce que Jake lui avait fait vivre depuis que leurs destins s'étaient croisés, Charlie eut pitié de lui. Ça devait être tellement humiliant d'être pris en flagrant délit devant tout le monde ! Mais ça ne dura qu'une seconde et, bientôt, le vrai Jake refit surface. Ses traits se durcirent et son regard devint mauvais.

— Je peux tout expliquer. C'est Joyce qui l'a mise dans mon sac. Il était tout seul dans le vestiaire et il voulait se venger. Il ne savait pas que j'avais été disqualifié et il devait vouloir revenir dans la course. Pis il voudrait bien que je m'fasse sacrer dehors pour pouvoir avoir une place au Challenge.

Charlie était bouche bée. Le choc le laissa sans voix. Il se tenait là, debout, la bouche ouverte, les yeux fixés sur Jake.

— Y est tellement plein de merde, enragea Slogger. Ils l'ont pris sur le fait! Mais, évidemment, il rejette la faute sur toi!

— Fais-toi z'en pas, Charlie, l'encouragea Nick. Les coachs sont assez intelligents pour voir qu'il ment.

— Nick a raison, déclara Scott.

Puis il ajouta, comme si c'était plus fort que lui:

— J'arrive pas à croire que je viens de dire ça… Sérieux, c'est l'affaire la plus débile que Jake ait faite. Personne va le prendre au sérieux.

— Pas sûr! cria presque Charlie. Clark m'a envoyé dans ma chambre; ensuite, ils m'ont posé des tonnes de questions sur ce que je faisais pis où j'étais le matin où la bague a été volée. Pis Jen arrêtait pas de revenir sur l'affaire de mon équipement disparu.

— T'étais avec nous après la course à obstacles! rappela Nick avec véhémence.

— Oui! Pis après ça, on est allés manger un morceau, ajouta Scott. Je m'en souviens.

Il tapota son ventre.

— Pis y a fallu transporter les gars de la 2 sur notre dos, grommela Slogger. Je m'en souviens très bien.

Il se voûta et plaça ses mains derrière son dos comme Obélix qui transporte un menhir.

— Apparemment, précisa Charlie, Miller aime bien s'entraîner tôt le matin, avant le déjeuner, et ce jour-là, il était allé patiner. Il aurait laissé sa bague dans le vestiaire…

Il soupira.

— Vous auriez dû voir comment il m'a regardé. Il est persuadé que j'ai mis la bague dans le sac de Jake. J'en suis sûr. Jen était tellement fâchée ! Même Trevor me regardait comme si j'étais un voleur.

— Jake va pas s'en tirer aussi facilement, déclara Slogger. C'est un hypocrite. Je l'ai su dès que je l'ai vu la première fois. Le seul qui soit pire que lui, c'est Zane. Ils vont bien ensemble.

— Jake va le payer, décréta Nick.

— Mais tout ça n'a aucun sens ! Pourquoi est-ce que Jake aurait volé la bague ? Je sais comment il est – oh *boy*, je le sais très bien ! –, mais voler une bague de la coupe Stanley ? Pas certain qu'il ferait ça, avança Charlie.

Ses amis continuèrent de lui prodiguer des encouragements et celui-ci fit comme s'il était persuadé que tout s'arrangerait. Mais, en son for intérieur, il était convaincu du contraire. Tout le monde était au courant de la dispute qu'il avait eue avec Jake et il était seul dans le vestiaire juste avant que la bague soit découverte. Mettre le bijou dans le sac de Jake aurait été une excellente façon de se venger. Et, en plus, Jake était un beau parleur. Charlie avait le sentiment que les entraîneurs allaient croire ce dernier.

C'en était fini pour lui. Qu'allait dire sa mère? Elle avait dépensé toutes ses économies pour ce camp et sa sœur Danielle avait renoncé à son camp de théâtre pour Charlie! Et lui, il se ferait mettre dehors comme un voleur? Si seulement il avait pu remonter le temps, il l'aurait déchiré en mille miettes, son formulaire d'invitation!

18

L'heure des choix

Charlie salua ses amis et retourna dans sa chambre. Toute cette histoire l'avait vidé. Même s'il n'était qu'onze heures du matin, il serait volontiers allé se coucher.

— Va prendre ta douche, Joyce. Peut-être que ça va faire partir la malchance, on sait jamais, se dit-il à haute voix.

— Vas-y, j'attendrai, accepta Corey en souriant.

Charlie rougit. Il n'avait pas remarqué son colocataire, étendu sur son lit.

— J'ai tout vu, affirma Corey. Jake t'a coupé. Tu t'es fait avoir comme il faut, dans cette histoire-là. Tu devrais aller voir Clark ou Miller pour te plaindre. En tout cas, c'est ce que, moi, j'ferais. Et si tu veux, je peux aller avec toi pour témoigner.

Visiblement, il ignorait tout de l'histoire de la bague.

— Me fous de la course… J'ai d'autres pro-blèmes pas mal plus graves, murmura Charlie.

Corey haussa les sourcils.

— Quels problèmes ? Les coachs ont encore changé les équipes ?

Charlie fut surpris. De quoi parlait-il ?

— Non, aboya-t-il.

Les yeux de son interlocuteur devinrent ronds comme des billes.

— Ooooh… Je vois… Le niveau de stress est au top, hein ? Ils vont donner les noms des gars pour le Challenge ce soir. Moi, je suis optimiste. J'ai eu une méchante pratique ce matin, j'étais en feu. Et puis, les coachs accordent pas trop d'importance au concours d'habileté. Tu gagnes pas une *game* en contournant des cônes oranges, tsé. Pour gagner, il faut que tu…

Charlie n'en pouvait plus. Pour arrêter le flot de paroles de Corey, il décida de lui parler de la bague.

— Wow ! Tu l'as piquée ? J'veux dire… vraiment ?

— NON !

Corey leva les mains.

— OK, OK, j'te crois. C'est pas ton genre, de toute façon. Mais c'est vraiment *weird* ! La bague qui sort du sac, toute seule… C'est fou ! J'ai jamais trop aimé ce… euh… comment il s'appelle, déjà ?…

Charlie aurait voulu être ailleurs.

— Jake Wilkensen, prononça-t-il comme un automate.

— C'est ça, Jake! Je l'ai un peu vu jouer. Lui non plus, il devrait pas être sur la 1. Il fera jamais le Challenge, en tout cas. Perso, j'pense qu'il est surévalué. Il coupe jamais au filet, il joue toujours en périphérie. Pas d'intensité. Mais c'est évident que c'est lui qui a volé la bague, alors ils vont le mettre dehors, de toute façon.

Charlie fronça les sourcils. Corey devait le confondre avec un autre. Jake était bien des choses, mais « pas intense » ? Ça, vraiment pas.

— Tu te trompes de gars. Jake a les cheveux noirs, il est assez costaud…

— Je le connais, répliqua Corey. Si j'avais pas été malade, c'est moi qu'ils auraient pris à sa place sur la 1. Savard est pas pire, il est rapide pis il a de bonnes mains, mais il est pas assez *tough*. Il va pas dans les coins. Il refuse de payer le prix.

Charlie n'en revenait pas. Corey se frappa la poitrine et continua son monologue.

— J'aimerais tellement jouer contre lui! Je le perdrais dans la brume. J'suis au sommet de ma condition, moi, je me suis entraîné *tellement* fort! Et pis, je l'ai étudié. Il a d'la misère à pivoter sur sa gauche…

— J'vais prendre ma douche, le coupa Charlie sans plus d'explications.

— Vas-y! répondit joyeusement Corey.

La bonne humeur de son colocataire exaspérait Charlie. Il se disait qu'il aurait pu faire preuve d'un peu d'empathie. Mais Corey avait d'autres préoccupations, visiblement :

— Si Jake se fait renvoyer, et on peut logiquement le croire, ça veut dire que les postes de centres sont pas mal décidés : toi, moi, probablement Savard... et peut-être James. Y est pas pire. Pas dans notre ligue, mais y en faut quatre. À la défense, ça va être intéressant : Zane va être choisi, juste à cause de son *size*. En passant, lui aussi, je l'ai analysé : tu feintes à l'intérieur, pis tu le débordes à l'extérieur. Il est incapable de pivoter à droite.

Charlie ne l'écoutait plus. Le Challenge était bien le cadet de ses soucis.

— Ton chum Nick pourrait bien être pris, ajouta Corey. Bonne *shot*, bon coup de patin... Pis tu te tiens avec un autre gars, comment il s'appelle déjà ? Slogger ? Y est pas mauvais. Penses-tu qu'il pourrait être sélectionné ? J'arrive pas à croire que le camp est presque fini. Je commence à peine à être à mon top. Quand je pense... Peux-tu croire à ma malchance ? Tomber malade...

Corey était un vrai moulin à paroles. Il continua de déblatérer sur d'autres joueurs et d'expliquer que, lui, il connaissait leurs faiblesses. Charlie en était étourdi.

— Tu t'es bien débrouillé pour un premier camp, assura Corey. T'as appris plein de trucs, j'imagine ?

Charlie ouvrit la porte de la salle de bain.

— T'as appris plein de trucs, hein ?

Il aurait été impoli de ne pas répondre.

— Ouais, plein.

— Au moins, t'as pas perdu d'autres pièces d'équipement, ajouta Corey en riant.

Charlie ferma la porte derrière lui et fit couler l'eau. Pendant qu'il était sous la douche, il repensa à ce que Corey avait dit. Il répétait les mots « t'as pas perdu d'autres pièces d'équipement » dans sa tête. Est-ce que son colocataire parlait de la fois où il ne retrouvait plus son sac, ou bien d'autre chose ?

Une pensée un peu folle surgit brusquement dans son esprit. Il fallait qu'il parle à Trevor. Vite. Il se lava aussi rapidement qu'il le put, se sécha, s'habilla et se dirigea vers la porte.

— Heille ! Où tu vas ? Les coachs nous ont dit de rester dans nos chambres…

Charlie sortit. Corey avait raison : les instructeurs allaient le réprimander s'ils découvraient qu'il avait désobéi aux ordres. Sauf qu'il n'avait pas le choix. Il ne lui restait qu'à espérer que personne ne le voie. Comme la chambre de Trevor était au rez-de-chaussée, il se dirigea vers l'escalier.

— Charlie !

Il fit volte-face, le cœur battant.

— Qu'est-ce que tu fais ? Es-tu fou ? lui demanda Nick qui avait sorti la tête du cadre de sa porte de chambre.

— Oh, *man* ! Tu m'as fait sursauter.

— J'ai entendu ta porte claquer, pis j'me suis dit que tu venais dans notre chambre. Tu veux vraiment te faire renvoyer?

— Faut que j'parle à Trevor.

— Es-tu blessé? Ça peut pas attendre?

— Non, non. J'suis pas blessé. C'est... Écoute, j'te promets de tout te raconter quand je lui aurai parlé.

Une autre porte s'ouvrit et le visage de Slogger apparut.

— Qu'est-ce qui se passe?

— Charlie a décidé que c'était un bon moment pour aller parler à Trevor!

— Es-tu tombé sur la tête?

— Ouais, ça s'peut... Je reviens dans deux minutes.

— Je peux pas te laisser y aller seul. J'viens avec toi, décréta Slogger.

— Moi itou, décida Nick.

— Laissez-moi pas tout seul, les gars, pleurnicha Scott. J'ai peur dans le noir.

— Il fait encore jour, remarqua Nick.

— J'ai peur dans le jour aussi.

Charlie secoua la tête.

— Non, non, non. On peut pas y aller tous. C'est trop risqué.

— T'es une catastrophe ambulante depuis le début du camp, souligna Slogger en croisant les bras.

225

Pis, de toute façon, tu serais incapable de trouver la chambre de Trevor tout seul.

— C'est là où t'as tort, mon ami, le corrigea Charlie en haussant les sourcils. Elle est au rez-de-chaussée, au fond du couloir.

Slogger fit signe du pouce derrière lui.

— Erreur. Elle est à l'autre bout. Tu te trompes de direction. Suivez-moi.

Les quatre garçons descendirent les marches sur la pointe des pieds, en veillant à faire le moins de bruit possible. Ils s'arrêtèrent quelques secondes devant la porte menant au couloir. Charlie mit un doigt sur ses lèvres et il l'ouvrit prudemment.

— Champ libre. Venez.

Charlie franchit le seuil, mais avant d'avoir pu faire deux pas, une main le saisit par l'épaule. Il sursauta violemment. Il se retourna et poussa un long soupir : c'était Nick !

— Fais plus ça, siffla-t-il entre ses dents. J'ai failli avoir une crise cardiaque.

— Tu vas du mauvais côté, comme d'hab, signala Nick.

— Je l'savais…

Charlie rebroussa chemin et courut de l'autre côté. Il frappa aussi doucement qu'il le put à la porte de Trevor. Pas de réponse. « Faites qu'il soit là », pria-t-il en cognant un peu plus fort.

— Il doit être en réunion avec les coachs, suggéra Slogger.

À ces mots, la porte s'ouvrit brusquement.

— Charlie ? Et… vous ?

Trevor fronça les sourcils.

— Je ne pense pas que ce soit une heure appropriée pour une visite.

Il regarda par-dessus leurs épaules dans le couloir.

— J'arrive de la cafétéria. On m'a demandé d'aller chercher Charlie dans cinq minutes. Ils veulent te parler. Et… vous, vous n'êtes pas censés être dans vos chambres ?

— Oui, je sais. Désolé, s'excusa Charlie. Mais il fallait que je te pose une question. C'est vraiment important. S'il te plaît. Ça va prendre une seconde…

L'homme hésita.

— C'est bon, entrez.

La télévision était allumée et plusieurs serviettes blanches jonchaient le plancher.

— On n'a pas de TV dans les chambres, nous, commenta Scott.

Trevor soupira.

— On a des privilèges, nous, les adultes. Mais j'imagine que c'est pas pour ça que vous êtes ici ? Et que vous désobéissez aux ordres du coach Clark…

— Non ! Bien sûr que non, assura Charlie. J'ai une question importante. Est-ce que tu te rappelles quand j'ai perdu mes coudes au début du camp ? J'avais mis des bas à la place et je m'étais fait mal, et tu m'avais donné de la glace…

— Oui, Charlie, je m'en souviens très bien, l'interrompit Trevor.

— En as-tu parlé à quelqu'un ? Je veux dire : que j'avais perdu mes coudes… À n'importe qui ? Un joueur, un coach, Jen…

— Non, Charlie. J'ai parlé de ton histoire de coudes à personne. Pourquoi j'aurais fait ça, grands dieux ?

— Je sais pas. Il faut que je sache, c'est tout.

Trevor se pencha vers Charlie.

— Voudrais-tu, s'il te plaît, me dire ce qui ne va pas ?

Le garçon hésitait. Il savait qu'il pouvait lui faire confiance, mais il devait éclaircir quelques détails d'abord.

— Peux-tu me rendre un service ? S'il te plaît… ?

— Tu peux toujours demander, répliqua le jeune instructeur en souriant.

Le garçon émit un petit rire bizarre. Ce n'était pas sorti comme il l'aurait voulu.

— Hum… non… ce que je voulais dire, c'est… Est-ce que tu serais assez gentil pour me laisser, genre, cinq minutes avant qu'on aille parler avec les coachs ? Faudrait que je mette quelque chose au clair. C'est vraiment important !

— Je veux bien faire ça, Charlie. Mais peux-tu m'expliquer pourquoi ?

— J'ai juste besoin de cinq minutes, se contenta de répondre l'adolescent.

Trevor leva les mains en l'air, comme s'il se rendait à un ennemi imaginaire :

— Très bien. Je vais en profiter pour plier les serviettes. Je passe te prendre dans dix minutes.

— Est-ce que tu peux venir me chercher dans la chambre de Scott ? le pria encore Charlie qui savait pertinemment qu'il était en train de pousser le bouchon un peu loin.

Trevor le regarda intensément.

— OK. Dans dix minutes, dans la chambre de Scott.

Les garçons se dépêchèrent de retourner à leur étage, Slogger en tête.

— Écoutez-moi ! les interpella Charlie aussitôt la porte de la chambre de Scott fermée. Je vais vous poser une question et j'aimerais que vous preniez bien le temps d'y réfléchir.

— Anchois ou oignons ? demanda Scott.

— Plus pepperoni, saucisse et ananas, ajouta Nick.

— Oh, *come on*, personne mange *vraiment* des ananas sur une pizza ! s'insurgea Scott.

En temps normal, Charlie aurait trouvé tout ça bien drôle, mais il ne se sentait pas d'humeur à plaisanter. Le temps pressait.

— J'vous ferai venir une pizza avec tout ce que vous voulez dessus, promis. Mais là, j'ai besoin de votre aide, parce que je dois prendre une décision vraiment… importante.

— À propos de? voulut savoir Slogger.

Charlie inspira profondément.

— Bon. Corey était dans ma chambre quand je suis revenu de la patinoire.

— Oh, mon Dieu! C'est *malade!* Surtout que vous êtes colocs...

— Ouaip, en effet, confirma Charlie en fronçant les sourcils. Mais il était bizarre. Il avait des fous rires, il arrêtait pas de parler du camp, des autres équipes, des joueurs...

— J'arrive pas à m'imaginer Corey agissant de façon bizarre, commenta Scott, feignant la perplexité la plus totale.

— Ben... disons qu'il était encore plus bizarre que d'habitude. Il m'a dit qu'une fois que Jake serait renvoyé, il allait automatiquement être centre de la 1 et qu'il allait être choisi pour le Challenge. J'ai jamais vu un gars aussi remonté, il était au bord de la crise...

Ses interlocuteurs devinrent subitement attentifs.

— Donc, j'allais prendre ma douche – juste pour arrêter de l'entendre parler –, quand il a dit: "Au moins, t'as pas perdu d'autre équipement."

— Hein? interrogea Scott.

— Tout le monde est au courant que mon sac s'est retrouvé dans un autre vestiaire. Mais j'ai parlé à personne de mes coudes perdus. Je me trouvais stupide.

Devant leur air dubitatif, il leur expliqua:

— Y a fallu que je m'enroule des bas autour des coudes et, évidemment, j'me suis fait frapper et j'ai eu un méchant bleu. En passant, je dois remercier Slogger pour sa très virile mise en échec.

— Ça m'a fait plaisir, souligna celui-ci.

— *Anyway*, Trevor m'a dit d'aller voir aux objets perdus. Et devinez quoi : mes coudes étaient en haut de la pile.

Ses amis se regardèrent, abasourdis.

— Mais le plus étrange, c'est que j'en ai jamais parlé à Corey. Et vous l'avez entendu comme moi, Trevor non plus.

— Alors, comment il le sait ? s'étonna Scott.

— Parce que c'est lui qui les a piqués ! s'exclama Nick.

Scott le dévisagea avec de grands yeux surpris.

— Depuis quand t'es devenu intelligent, toi ?

— J'ai fait plein de mots cachés, récemment, ça doit être ça…

Charlie les interrompit.

— C'est pas fini ! Son commentaire sur l'équipement m'a fait réfléchir. Avez-vous remarqué que chaque fois qu'il y a eu des problèmes, Corey était dans les parages ? Pendant la course à obstacles, juste avant la finale, j'ai parlé avec lui. Y était déprimé parce que son équipe avait perdu. Il m'a dit qu'il allait regarder la course, mais je l'ai vu partir avant que ça commence. Il aurait très bien pu savoir que j'étais derrière Savard.

— Ben voilà : c'est lui qui a caché la corde ! émit Slogger.

— C'est sûr ! Il a dû attendre que Savard et Nathan soient passés et puis renvoyer la corde derrière le mur. Mais c'est pas tout ! Vous vous souvenez que mon réveil a pas sonné, le premier matin ? Comme par hasard, Corey était déjà debout, lui, et il avait même quitté la chambre quand je me suis réveillé. Il m'a dit qu'il était allé courir, mais ça doit être lui qui a trafiqué l'alarme !

Charlie était surexcité et dut faire de gros efforts pour parler à un rythme normal. Tout s'expliquait, brusquement !

— Et Duncan ! Il s'est fait rétrograder sur la 3 parce qu'il avait perdu son classeur. Comme par hasard, Corey l'a su avant tout le monde… Je gage que c'est lui qui l'a pris. Et maintenant que j'y pense, c'est Corey qui m'a poussé sur Zane aux tests d'endurance. Évidemment, je peux pas le prouver, mais j'suis sûr que c'est lui qui a mis mon stock dans l'autre vestiaire. Je me rappelle qu'il était arrivé en courant pendant que tout le monde regardait les gars porter leurs adversaires sur le dos. Mais attendez, c'est pas fini : enfin, on tient une preuve très sérieuse. Aujourd'hui, après la pratique, Slogger et moi, on a vu Corey dans le corridor quand on allait sur la patinoire. J'y ai pas porté attention sur le coup, mais voulez-vous bien me dire ce qu'il faisait là s'il ne participait pas aux finales? Il aurait dû être dans les gradins avec les autres. D'après moi, Corey a dû penser que tout le monde était déjà sur la glace. Il pouvait pas savoir que je serais en retard.

— Et c'est là qu'il a mis la bague dans le sac de Jake!

Nick avait presque hurlé.

— Chut! commanda Charlie. Il faut que ça reste entre nous. Pour l'instant, en tout cas. Mais oui, t'as raison. C'est exactement ce que je pense, moi aussi.

— OK, parfait, affirma Scott. Mais pourquoi il aurait fait ça? C'est quoi l'idée, au juste?

— Parce qu'il voulait être sur la 1 et, surtout, participer au Challenge. En fait, c'est pas qu'il *voulait*, c'est qu'il *devait*. Son père lui met une tonne de pression. Le genre qui veut absolument qu'il aille dans le junior majeur, ou dans les ligues universitaires aux États, ou même dans la LNH... Vous imaginez? Le bonhomme lui paye des cours de *power skating*, des entraîneurs privés... Il l'appelle au moins trois fois par jour. Je vous le dis: ils se parlent quasiment une heure tous les soirs! Corey doit lui raconter tout ce qu'il a fait au camp dans la journée, les pratiques et le reste... Le gars a *vraiment* une pression d'enfer!

— Donc, il élimine la concurrence, déduisit Slogger. D'abord, il s'occupe de Charlie. Ensuite, voyant que ça marche pas, il s'en prend à Duncan.

Ça, ç'a fonctionné puisque Duncan s'est fait rétrograder sur la 3. Sauf qu'il fallait qu'il se débarrasse d'un autre centre s'il voulait être sûr d'être choisi, alors il a mis la bague dans le sac de Jake.

— Ouais, c'est pas bête : après Savard et Charlie, Corey est le meilleur centre si Duncan n'est plus là, évalua Scott.

— Mais j'arrive pas à croire que Jake ait pas volé la bague, regretta Nick. Pour une fois qu'il allait payer pour ses crimes, ben, y est innocent !

— Qu'est-ce que t'en penses, Charlie ? s'enquit Slogger.

Charlie s'était déjà fait une idée assez précise de la situation à mesure qu'il avait partagé sa théorie avec ses amis, et maintenant, il était totalement convaincu. Il aurait tout donné pour ne jamais avoir connu Jake et il n'aurait certainement pas pleuré si celui-ci avait été renvoyé du camp. Mais il ne pouvait pas faire condamner un innocent. Et surtout pas dans un cas comme celui-ci. C'était sérieux.

— Ben, j'pense que je vais devoir dire aux coachs ce que je sais, conclut-il.

— Charlie Joyce qui sauve Jake Wilkensen… C'est surréaliste, commenta Scott.

— Oui, surtout si on pense que Jake avait accusé Charlie d'avoir piqué la bague, ajouta Nick.

— Pis ce qu'il lui a fait pendant la course à obstacles, intervint Slogger.

— Et le coup par-derrière pendant le jeu du drapeau, renchérit Nick.

— Et n'oublions pas la course à dos de cheval, précisa Scott.

— Celle-là, je préférerais l'oublier, révéla Charlie.

— Tu sais, Jake ne viendrait jamais à ta rescousse, lui, indiqua doucement Slogger.

— C'est peut-être ça le plus important, clama Charlie en relevant la tête. J'suis pas comme lui. Jake l'a pas volée, la bague. Et, crois-moi, j'adorerais qu'il soit sacré dehors. Mais pas comme ça.

— Bon, ben… j'imagine que ça veut dire que ton coloc va rater le Challenge, remarqua Nick, qui semblait pensif.

— Justement, je voulais vous parler de ça aussi. Ça va me faire plaisir de raconter aux coachs que Jake est innocent, mais ça me tue d'accuser Corey.

— Ouais, j'te comprends – un peu – pour Jake, reconnut Scott. Même si c'est un trouduc et qu'il ferait jamais la même chose pour toi. Mais regarde ce que Corey a fait : il a essayé de faire condamner un innocent et il a essayé de te faire renvoyer de la 1…

— Je sais, je sais. Mais j'arrive pas à lui en vouloir. Même si je suis encore en maudit d'avoir eu l'air d'un arriéré devant Jen et les autres.

Charlie secoua la tête.

— J'arrive pas à l'expliquer. Mais c'est comme si… ben, je pense que je me sentirais encore plus mal de faire renvoyer Corey que d'être renvoyé moi-même. *Weird*, hein ? Son père lui met tellement de pression ! Pouvez-vous imaginer s'il fallait que le bonhomme apprenne qu'il a volé la bague ? Pis, aussi idiot que ça puisse paraître, je considère encore Corey comme un ami. Je sais qu'au fond, c'est un bon gars, même s'il me rend fou la moitié du temps.

— Juste la moitié ? interrogea Scott.

— Ouais, t'as raison, approuva Charlie. Mettons 75 % du temps.

Il soupira.

— Le truc, c'est que le hockey, pour Corey, c'est toute sa vie, c'est une job à temps plein, même si c'est juste un *kid* de notre âge.

— Ç'a tout l'air que t'as pris ta décision, releva Slogger.

— On dirait, oui, confirma Charlie en grimaçant.

— Je comprends que tu veuilles aider un ami, admit Nick. Mais es-tu sûr de ton coup ? As-tu pensé à la réaction des coachs ? Ils vont peut-être croire ton histoire sur Jake, mais qu'est-ce qui va arriver si tu refuses de dénoncer Corey ? Ils vont t'accuser de complicité, pis ils vont même peut-être te renvoyer.

— Qu'est-ce que tu veux que je fasse ? C'est mon coloc !

Ils éclatèrent de rire.

— Si c'est bon pour toi, c'est bon pour moi, accepta Slogger.

— *Me too*, approuva Nick.

Scott se leva.

— Même si je suis triste de rater une occasion d'humilier Jake et même si je serais plus qu'heureux de ne plus avoir Corey dans les pattes, je dois admettre que Joyce a raison.

— Merci, les gars, dit Charlie.

On frappa à la porte, ce qui le fit sursauter.

— Oh, *shit*! J'avais oublié Trevor. Et pas un mot sur Corey, OK?

Nick s'appuya nonchalamment au dossier de sa chaise.

— Qui est ce Corey?

— Je sais pas de quoi tu parles, indiqua Slogger.

— Déjà oublié, déclara Scott.

Charlie frappa le poing de chacun de ses amis.

— J'vous en dois une!

— Je crois me rappeler que tu nous dois déjà une pizza, mentionna Scott.

— Considère-la comme déjà commandée, répliqua Charlie en ouvrant la porte.

19

En position précaire

Trevor escorta Charlie jusqu'à la cafétéria. Les instructeurs étaient assis à une table et Jen se tenait debout derrière eux. Charlie sentait la sueur perler sur son front et il luttait farouchement pour conserver son calme. Il *devait* rester calme. Tout allait dépendre de sa capacité à convaincre les coachs que Jake n'avait pas volé la bague, sans en dire trop, du moins pas assez pour qu'ils comprennent que c'était Corey qui avait fait le coup.

— On veut te poser quelques questions, annonça Clark. Assieds-toi, s'il te plaît.

Il pointa un banc où Jake était déjà assis. Ce dernier s'empressa de se déplacer à l'autre bout du banc.

— Jake, je pense qu'on en a fini avec toi, pour l'instant. Alors, tu peux retourner dans ta chambre, lui enjoignit Clark.

Le garçon se leva, regarda Charlie d'un air de défi et sortit lentement de la pièce. Les instructeurs attendirent que la porte se referme complètement, puis Clark se pencha en avant et pointa son stylo vers Charlie.

— Jake a porté de très sérieuses accusations contre toi. On en a déjà parlé à la patinoire, mais tu as eu pas mal de temps pour réfléchir depuis, alors je vais te reposer la question : as-tu volé la bague ?

— Non, soutint Charlie.

— Jake affirme que tu as déposé la bague dans son sac après la course, pendant que tu étais tout seul dans le vestiaire. Il dit que tu as fait ça pour le faire renvoyer du camp.

Il fit une pause et reprit :

— Si je comprends bien, Jake et toi n'êtes pas les meilleurs amis…

— On peut dire ça comme ça.

« Tu parles ! C'est l'euphémisme du siècle ! » pensa Charlie.

— Peux-tu nous décrire ton emploi du temps, le matin du vol ? continua Clark. Je crois que c'était le jour de la course à obstacles, n'est-ce pas, Jen ?

— Oui, parfaitement, confirma-t-elle.

Charlie inspira profondément et plongea :

— Je me souviens d'être allé à la cafétéria après la course. J'étais avec Nick, Scott et Slogger. Après avoir mangé, on a été voir le tableau d'affichage, parce que Jen avait annoncé qu'il y avait des changements dans les équipes. Euh… je sais pas si vous êtes au courant, mais après la course à obstacles, y a fallu que les perdants portent les gagnants sur leur dos et… euh… Je pense que c'était comme une récompense… ou un prix pour la victoire…

Il évita de regarder Jen ou Trevor.

— J'ai dû porter Jake et, ensuite, je suis retourné à l'aréna pour me préparer pour la pratique. Là, j'ai rencontré Jen qui cherchait la bague… J'veux dire… en tout cas, c'est à ce moment-là que j'ai su que la bague avait été volée. Et c'est aussi à ce moment-là que mon sac a disparu.

— Est-ce que ça correspond, Jen? demanda Miller.

Elle opina du chef.

— Je me souviens parfaitement de Charlie. Et je crois que Slogger était avec lui. J'étais très préoccupée par la bague.

— Et après ça, elle m'a aidé à chercher mon sac. Et Trevor aussi, ajouta Charlie.

— Exact, attesta Jen. On a fini par retrouver son équipement dans un vestiaire d'une des autres patinoires.

— Très bien. On va oublier cette histoire mystérieuse de l'équipement disparu pour le moment, si vous le voulez bien, suggéra Clark. Je me rappelle que j'ai assisté, avec les coachs Miller et Binns, à l'épisode du dos de cheval. Comment se fait-il que tu te sois retrouvé avec Jake sur le dos ?

— C'est lui qui voulait. Jen avait dit que les gagnants pouvaient choisir qui ils voulaient.

— Je ne me souviens pas d'avoir dit qu'un joueur de l'équipe 2 pouvait t'ordonner de le prendre, corrigea Jen.

Charlie s'adressa à elle.

— Non, c'est sûr… Mais en tout cas, Jake m'a obligé à le prendre et je me suis dit qu'il fallait que je le fasse, c'est tout.

Le coach Clark s'adossa contre sa chaise. Pendant un moment, il parut perdu dans ses pensées, puis il déclara brusquement :

— Je ne vois pas quand Charlie aurait eu l'occasion de voler la bague. Mais je ne vois pas non plus quand Jake aurait pu le faire. Ils étaient sans aucun doute à la cafétéria et, ensuite à cette… course. Le seul moment où ils auraient pu agir, c'est entre la fin de leur repas et l'annonce faite par Jen. Sauf que ça reste très improbable : un, ils n'auraient pas eu grand temps et deux, de toute façon, on ne pourrait sans doute pas trouver de témoin prêt à jurer qu'ils étaient là ou pas.

— J'ai de sérieux doutes au sujet de l'hypothèse de Charlie et Jake complices, commenta Binns.

Le silence tomba dans la salle, chacun paraissant réfléchir aux différentes spéculations.

— Je pense que je sais qui a volé la bague, révéla Charlie qui avait rassemblé son courage.

Toutes les têtes se tournèrent vers lui.

— Parle, l'encouragea Clark.

— Je veux d'abord dire une chose : Jake ne l'a pas prise. Ni moi non plus.

Jen et Trevor se rapprochèrent des autres coachs, ce qui mit Charlie encore plus mal à l'aise. Il avait vraiment l'impression que c'étaient eux contre lui.

— Tu nous as déjà dit que ce n'était pas toi, rappela Miller. Mais comment peux-tu être sûr que ce n'est pas Jake ?

— Ben, en fait, euh… c'est assez étrange. J'admets que j'ai été seul dans le vestiaire avant que la bague soit trouvée dans le sac de Jake. Mais ce que vous ne savez pas, c'est que je me suis fait bousculer par un gars dans le couloir juste avant la finale du concours d'habileté. Lui, il était déjà en équipement et, quand je lui ai parlé, il avait l'air tout énervé et… bizarre. On s'est mis à jaser, pis il a fait un commentaire sur mes coudes que j'avais perdus. Je pense pas qu'il s'en soit rendu compte, mais y a juste le voleur qui pouvait savoir que je les avais perdus, parce que je l'avais dit à personne…

Charlie s'aperçut soudain que tous les yeux étaient rivés sur lui. Ça n'allait pas bien du tout. D'abord, les instructeurs ne comprenaient rien à cette histoire de protège-coudes égarés, puisqu'ils n'avaient jamais été informés. Il fallait qu'il clarifie la situation : Clark le fixait d'un air impatient.

— Excusez-moi, il faut que je vous explique. Mes coudes avaient disparu de mon sac juste avant la pratique de l'équipe 1. Personne n'était au courant, à part Trevor.

Charlie regarda dans sa direction.

— N'est-ce pas ?

L'instructeur hocha la tête.

— Et il m'a dit qu'il n'en avait parlé à personne.

Miller toussota.

— Désolé de t'interrompre, Charlie, mais je suis perdu, là, avec tes histoires de coudes. Qu'est-ce que Trevor a à voir là-dedans ?

— C'est juste que je lui ai parlé dans sa chambre et il m'a dit que...

— Tu es allé voir Trevor dans sa chambre avant de venir ici ?

Clark secoua la tête.

— Je pensais vous avoir dit de rester dans vos chambres...

— Oui, je sais, admit Charlie qui rougissait. Mais il fallait absolument que je sache si Trevor en avait parlé à quelqu'un... Des coudes, j'veux dire.

Clark se massa la nuque et soupira.

— Continue, finit-il par déclarer, d'une voix un peu lasse.

— Pendant que je prenais ma douche, dans ma chambre, après le concours d'habileté, j'ai eu un flash. Si Trevor n'avait parlé à personne de mes coudes disparus, et comme moi j'en avais pas parlé, la seule autre personne qui pouvait le savoir, ben… c'était celui qui les avait pris! Donc, j'ai pensé que celui qui m'avait percuté dans le corridor était forcément le coupable! Et puis, ensuite, j'ai réfléchi. J'ai pensé à la course à obstacles et je me suis rappelé que j'avais vu le même gars s'en aller… euh… discrètement, pendant la course. Sur le coup, j'y ai pas fait attention. Mais, maintenant, je suis convaincu que c'est lui qui a lancé la corde de l'autre côté du mur.

— Ça, ça veut dire que le joueur dont tu parles fait partie de l'équipe 3 ou de l'équipe 4, remarqua Jen.

Charlie déglutit. Oups! Grosse erreur. La liste des suspects rétrécissait. Mais il fallait qu'il poursuive.

— Ensuite, tout est devenu clair. Le même gars m'avait dit que Duncan avait perdu son dossier avant même que ça se sache… Comment est-ce qu'il pouvait être au courant? La seule réponse à ça, c'est que c'est lui qui l'avait pris.

— Charlie, je ne suis pas sûr de te suivre, l'arrêta Clark. Et même si ça m'intrigue que tu défendes Jake, malgré tout ce qui s'est passé entre vous, je ne sais toujours pas comment la bague a pu se retrouver dans son sac s'il ne l'a pas volée.

— Oui. Bon point.

Le garçon inspira profondément.

— Eh bien, c'est parce que… je sais qui a mis la bague dans le sac de Jake, parce que c'est le même gars qui a piqué mes coudes et le même qui m'a foncé dedans avant le concours d'habileté. J'étais le dernier à sortir du vestiaire, donc il a dû en profiter pour aller mettre la bague dans le sac.

Il secoua la tête.

— Tout le monde sait que Jake et moi, on n'est pas amis. Vraiment pas. Mais il n'aurait pas fait ça. C'est… c'est pas son genre. Je veux dire… c'est pas le genre de gars qui volerait une bague de la coupe Stanley. J'étais là quand elle a été découverte et il avait l'air vraiment surpris. Je pense pas qu'il ait pu faker ça. Et puis, de toute façon, si c'était lui qui l'avait volée, j'pense pas qu'il aurait été assez stupide pour la laisser dans son sac.

— Oui, on avait considéré ça, nous aussi, reconnut Clark. Mais est-ce que tu n'oublies pas quelque chose ?

Charlie hocha la tête, ne voyant pas où l'homme voulait en venir.

— Qui a volé la bague, d'après toi ?

— C'est ça le problème, indiqua Charlie en soupirant. Je ne peux pas vous le dire. Mais je sais qu'il a fait ça pour des raisons, euh… personnelles. Ça n'a rien à voir avec le hockey.

Ce n'était pas, à proprement parler, un mensonge : tout ça, c'était la faute du père de Corey.

— Et je peux vous promettre qu'il ne fera plus rien de mal. Et si je vous en dis plus, ben, vous allez découvrir qui c'est, et... je ne veux pas qu'il ait des problèmes. Il en a bien assez comme ça! Et puis, je pensais que... comme la bague a été retrouvée et que vous savez que Jake et moi, on est innocents... ben... que peut-être... on pourrait juste... oublier tout ça?

Charlie s'arrêta. Il se rendit soudain compte qu'il avait parlé presque sans arrêt. Clark avait un drôle de sourire aux lèvres, ce qui le rendit nerveux. Allaient-ils faire le lien entre le fait que Jake, Duncan et lui étaient tous centres et que Corey, justement, l'était lui aussi?

Clark le dévisagea pendant ce qui lui parut une éternité.

— Je voudrais maintenant que tu ailles dans ta chambre pendant que nous, on discute de tout ça.

Miller fit un geste en direction de la porte. Charlie sentait qu'il devait ajouter quelque chose avant de partir.

— Ç'a été un camp incroyable et j'en ai appris beaucoup. Je suis vraiment désolé de ne pas pouvoir vous dire qui a volé la bague et je comprends que vous ne soyez pas contents. Je... je suis désolé, mais je ne peux pas vous le dire.

Clark leva les sourcils et s'appuya contre le dossier de sa chaise.

— Merci, Charlie, prononça-t-il doucement.

Celui-ci hésita, ne sachant pas si l'entraîneur allait continuer, mais ce dernier resta silencieux. Charlie salua les instructeurs de la tête et sortit de la cafétéria. Dès qu'il franchit la porte, il se précipita dans l'escalier, puis entra comme une tornade dans la chambre de Scott et Slogger. Devant leur air interrogateur, il expliqua :

— J'ai aucune idée de ce qu'ils vont décider. J'ai l'impression qu'ils me croient, pour Jake. Mais je suis pas trop sûr pour Corey et moi. Ils m'ont dit de retourner dans ma chambre, alors j'suis mieux d'y aller.

— OK, à plus, s'écrièrent ses amis à l'unisson.

Quand Charlie ouvrit la porte de sa chambre, Corey faisait des tractions. Il se releva.

— Où t'étais ? Ça fait une heure que t'es parti !

Il avait l'air soucieux. Charlie haussa les épaules.

— Les coachs voulaient me parler. Encore l'affaire de la bague…

— Est-ce qu'ils vont renvoyer Jake ? Toi, ils t'accusent pas, hein ?

L'obsession de Corey au sujet du renvoi de Jake était vraiment suspecte.

— J'suis pas convaincu qu'il a piqué la bague. Toi, tu penses que c'est lui ? demanda Charlie.

Corey frissonna et se mit à cligner des yeux rapidement.

— Ben… la bague était dans son sac, balbutia-t-il. Je comprends pas que tu nies ça !

Il montra le plancher du doigt.

— Ça te dérange pas que je fasse encore quelques push-ups? Après ça, faudrait que je fasse des sit-ups.

Mais avant même que Charlie ait le temps de répondre, son colocataire était déjà de nouveau à l'œuvre. Charlie alla s'étendre sur son lit – impossible de parler à Corey pendant ses exercices. Celui-ci fit une série de 50 tractions, puis il entreprit les redressements assis.

Charlie se demandait quel genre de père pouvait en arriver à rendre son fils aussi obsédé par le hockey, ou par n'importe quoi d'autre, à bien y penser. Il croisa les mains derrière sa tête et se mit à penser à son propre père. Parfois, durant les matchs, certains parents perdaient la tête et se comportaient comme des idiots dans les estrades: ils criaient des bêtises aux arbitres ou aux joueurs. Chaque fois, son père les priait de se calmer. Ça gênait *tellement* Charlie quand son père faisait ça! Il aurait voulu disparaître. Aujourd'hui, il lui semblait difficile de croire qu'il ait pu éprouver un tel sentiment. Maintenant, plus que jamais, il comprenait pourquoi son père réagissait ainsi. Les parents que le hockey faisait devenir fous rendaient leurs enfants fous aussi.

Corey en était un exemple parfait. Tous ces appels… Tous ces mauvais coups qu'il avait faits, simplement pour s'assurer une place au Challenge. Il était tellement anxieux et soumis à une si forte pression que Charlie doutait qu'il ait pris du plaisir durant ce camp. Et le pire, c'est qu'il avait réussi à tout gâcher pour lui, pour Jake et pour Duncan, simplement pour être à la hauteur des attentes de son imbécile de père.

Pendant tout ce temps, son colocataire continuait ses redressements assis, se poussant à l'extrême limite. Charlie ne se sentait pas d'humeur à avoir une discussion avec lui. Plus tard. Pour l'instant, il tentait de se détendre, sans grand succès. Comment aurait-il pu se laisser aller alors que, à la cafétéria, les instructeurs étaient en ce moment même en train de décider de son sort ?

20

Un pour tous, tous pour un

Charlie faillit tomber de son lit lorsque des coups furent frappés à sa porte.

— Descendez à la cafétéria! ordonna une voix.

Ça ressemblait à celle de Trevor.

— On a un meeting? demanda Corey, nerveux. C'était prévu? Il faut que je prenne ma douche!

— C'est un meeting-surprise, déclara Charlie, laconique.

Corey n'avait pas cessé ses exercices durant tout ce temps. Au fond, Charlie se sentait soulagé: le dénouement approchait.

Slogger était déjà dans le couloir.

— Étais-tu au courant? C'est quoi, cette réunion? l'interrogea Corey.

— Je pense que c'est une surprise, répondit Slogger.

— C'est exactement ça que m'a dit Charlie!
confirma Corey en riant de bon cœur et en lançant
une claque dans le dos de son colocataire.

Slogger regarda Charlie avec des points d'inter-
rogation dans les yeux. Scott et Nick arrivaient, à
l'autre extrémité du couloir. Corey les apostropha:

— Pis vous? Vous savez pourquoi on a un
meeting?

Nick chuchota quelque chose à l'oreille de Scott.

— Sûrement la remise du prix du défenseur le
plus élégant: ça va être moi, décréta-t-il.

La plaisanterie n'était pas très drôle et Scott en
était conscient. Mais, au moins, il tenait parole, et
c'était ça le plus important. Charlie se détendit. Ses
amis allaient garder le secret. À la cafétéria, les
autres joueurs étaient déjà là.

Jen tapa dans ses mains à plusieurs reprises.

— Messieurs, à vos places et en silence, s'il vous
plaît.

Elle attendit un peu et, satisfaite, reprit:

— On a décidé d'annoncer tout de suite les
participants au Challenge, plutôt qu'après le souper. Mais, tout d'abord, le coach Clark a quelques
mots à vous dire.

L'homme paraissait beaucoup plus sérieux que
d'habitude. Il balaya la salle des yeux, arrêtant un
instant son regard sur Charlie.

— Comme vous le savez tous, quelqu'un a volé
la bague de la coupe Stanley appartenant au coach

Miller, il y a quelques jours. C'est sans aucun doute la pire chose qui soit arrivée en vingt ans à ce camp. Inutile de dire que le voleur a manqué de respect au coach Miller, au YEHS et au hockey en général. Inutile aussi de vous rappeler que cette bague a une grande valeur et qu'il s'agit d'un crime passible de prison. La police a été appelée et les inspecteurs ont déjà commencé leur enquête. Cet après-midi, la bague a été retrouvée dans le sac d'équipement de Jake Wilkensen. Il a nié être l'auteur du vol et il a accusé Charlie Joyce de l'avoir mise dans son sac…

Il fit une courte pause.

— Il y a environ une demi-heure, nous avons interrogé Charlie qui nous a affirmé qu'il n'avait pas mis la bague dans le sac. Il nous a aussi dit qu'il ne pensait pas que Jake était le coupable.

Il y eut des murmures parmi les joueurs rassemblés.

— Charlie a également déclaré qu'il connaissait le coupable, mais qu'il refusait de nous dévoiler son identité. Il nous a aussi mentionné qu'il ne souhaitait pas que le coupable soit puni et nous a assurés qu'il n'y aurait plus de… problèmes à l'avenir.

Charlie ne put s'empêcher de jeter un coup d'œil vers Corey. Il était devenu blanc comme un linge et gardait les doigts crispés sur le bord de son siège.

— Je dois préciser que Charlie ne peut pas prouver hors de tout doute que Jake est innocent. Ses soupçons sont basés sur certains agissements du présumé coupable. Certains comportements et certaines déclarations… Il ne s'agit donc pas de preuves formelles, mais je ne peux pas les rejeter du revers de la main. Je dois aussi prendre en considération l'insistance avec laquelle Charlie clame l'innocence de Jake.

Il se gratta la tête.

— Comme mon père le disait : on a un sacré dilemme.

Devant le regard interrogateur de certains, Clark crut bon d'ajouter :

— C'est une façon de dire qu'on ne sait pas quoi faire. Je pense que tous les instructeurs ici présents sont convaincus de la sincérité de Charlie lorsqu'il prétend croire sincèrement que Jake est innocent. Mais, d'un autre côté, Charlie refuse de divulguer le nom du coupable…

Le visage de l'entraîneur devint encore plus grave. Il s'avança de quelques pas. Le cœur de Charlie battait comme un tambour.

— Nous avons décidé qu'à la lumière de ce que nous savons, considérant les circonstances, et après avoir parlé avec Jake et Charlie, nous ne pensons pas que Jake soit coupable. Il peut rester au camp et il pourra même jouer au Challenge. En ce qui concerne Charlie, et malgré le fait que nous respections son désir de protéger son ami et la droiture dont il a fait preuve en défendant Jake, nous ne pouvons ignorer le fait qu'il refuse de nous donner le nom du coupable. Il ne reste plus qu'un jour au camp et nous ne voyons pas la nécessité de renvoyer Charlie chez lui tout de suite. Mais il ne pourra pas participer au Challenge.

Un lourd silence accueillit cette sentence. Pour Charlie, la situation était vraiment étrange. Corey se tenait à une dizaine de sièges de lui environ. Il était assis, droit comme un piquet, les mains croisées sur les genoux, aussi immobile qu'une statue. Il n'avait jamais eu l'air aussi fragile ; on aurait pu croire qu'il allait se briser en mille morceaux. Charlie sut qu'il avait fait le bon choix. Corey serait complètement détruit s'il se faisait prendre. S'il fallait que lui rate la partie de Challenge, tant pis, Charlie paierait le prix.

L'adolescent s'écrasa sur son siège. Ils allaient sans doute se mettre à annoncer les noms des participants au Challenge.

Puis, venant du fond de la cafétéria, il entendit une voix :

— Je ne crois pas que ce soit juste, coach...

Charlie leva les yeux. Richard s'était levé et avait marché jusqu'au milieu de l'allée.

— Le coach Miller a retrouvé sa bague et je ne pense pas que Charlie mérite d'être puni pour avoir dit la vérité. Il n'était pas obligé de défendre Jake, poursuivit Richard qui semblait réellement contrarié.

Le visage de Clark exprimait la surprise.

— La décision des instructeurs a été rendue. Mais je comprends ton point de vue, Richard…

— Moi aussi, je pense que c'est pas juste!

C'était Gabriel. Il s'était levé, non loin de Charlie.

— Est-ce que ça a vraiment autant d'importance de trouver qui a fait le coup? ajouta-t-il. Charlie a dit que le gars allait rester tranquille. J'suis pas mal certain qu'il doit connaître assez bien le coupable pour pouvoir dire ça… Pis si Charlie dit ça, ben, moi, je le crois.

Simon se leva.

— J'suis d'accord. Charlie devrait pouvoir jouer au Challenge.

— Je ne veux pas participer au Challenge si Charlie est *scratch*, annonça calmement Slogger.

Charlie dut faire de grands efforts pour ne pas se laisser envahir par l'émotion. Il n'aurait jamais imaginé que tous ces garçons puissent être de vrais amis.

— On veut Joyce! On veut Joyce! se mirent à scander Scott et Nick.

Bien vite, tous les joueurs joignirent leur voix aux leurs.

— Arrêtez, les garçons, les pria Clark en levant les mains comme un coupable qui se rend aux autorités. Arrêtez! Je vous le redis: j'apprécie votre solidarité, mais…

Savard s'avança. Les joueurs se calmèrent. Charlie n'en revenait pas. Même si J. C. jouissait d'un certain statut au camp parce qu'il était sans doute le meilleur joueur, c'était un leader tranquille qui parlait peu. Allait-il prendre sa défense, lui aussi?

— J'aimerais beaucoup que vous… reconsidériez votre décision, m'sieur, expliqua-t-il. Je pense qu'aucun des gars veut que Charlie soit banni de la compétition. J'ai déjà joué contre lui, pis ici, j'ai joué avec lui et je crois qu'il mérite d'y être.

Ce fut ensuite au tour de son ami Burnett:

— J'suis d'accord avec J. C. Charlie doit avoir sa chance.

Un demi-sourire se dessina sur le visage de Clark. Il se pencha d'un côté, plissa les yeux et hocha la tête à plusieurs reprises.

— Avant qu'une autre dizaine de gars me demandent la même chose, je vais aller discuter de tout ça avec mes collègues. Donnez-moi une minute, dit-il avant d'aller rejoindre les autres entraîneurs, suivi de Jen et de Trevor.

Nick et Scott prirent place aux côtés de Charlie.

— Selon moi, t'aurais dû être renvoyé, mais j'ai rien voulu dire parce qu'on est chums, lança Scott.

— Drôle de coïncidence: je voulais justement leur suggérer de renvoyer Scott, signala Nick.

Charlie leur fut reconnaissant de leurs tentatives, quoique malhabiles, pour alléger l'atmosphère et il se mit à rire. Savard, Gabriel, Burnett et Simon s'approchèrent.

— Merci pour votre soutien, les gars, balbutia Charlie, toujours un peu mal à l'aise.

— Tu mérites de jouer, répondit simplement Simon.

Slogger, Pete, Richard, Nathan, James et quelques autres joueurs des équipes 1 et 2 les entourèrent et tous se mirent à plaisanter, Scott et Nick menant le bal, comme toujours. Charlie remarqua qu'un autre petit groupe s'était formé autour de Jake et Zane. Il devinait sans peine le sujet de leur conversation.

La cafétéria résonnait bruyamment et, au début, personne n'entendit Clark essayer de parler. Jusqu'au moment où un coup de sifflet strident interrompit le brouhaha.

— Merci, Jen. J'ai toujours rêvé de siffler comme ça, reconnut-il en riant. Très bien. Messieurs, veuillez s'il vous plaît vous asseoir.

Les joueurs rirent poliment et prirent place.

— Nous avons eu une discussion… intéressante, commença Clark. Je veux d'abord vous dire une chose : je n'ai jamais eu peur de changer d'idée. On voit trop souvent des arbitres prendre de mauvaises décisions et s'y tenir, juste par orgueil ou pour ne pas avoir l'air fou. Mais moi, je considère qu'une mauvaise décision, ça reste une mauvaise décision.

Il marqua une pause.

— C'est pourquoi, après avoir écouté les opinions des joueurs qui ont eu le courage de prendre la défense de Charlie, et après avoir pesé le pour et le contre…

Son visage s'éclaira d'un large sourire.

— … j'ai décidé de réinscrire Charlie Joyce au Challenge.

Tous ceux qui entouraient le garçon se mirent à applaudir frénétiquement et à pousser des cris de joie et de triomphe. Scott, Nick et quelques autres lui firent un retentissant *high five*.

Clark leva les mains et le calme retomba.

— Maintenant que cet incident… déplorable est derrière nous, nous pouvons aller de l'avant avec quelque chose de nettement plus amusant : l'annonce de l'alignement de la partie du Challenge !

Jen tendit une tablette à Clark.

— À l'appel de vos noms, venez me rejoindre s'il vous plaît.

Il commença. Un des premiers à être appelés fut Jake, ce qui provoqua une réaction. Ses amis applaudirent, mais Charlie remarqua que certains secouaient la tête. Nick fut nommé et Charlie l'acclama avec Scott. Ensuite, ce fut au tour de Slogger et Charlie lui montra ses deux pouces en l'air. Quand Corey fut désigné, Charlie crut que son colocataire allait exploser de joie.

— … et le dernier, mais non le moindre… Charlie Joyce !

Charlie sentit Scott qui le poussait dans le dos. Clark lui fit un signe de la main pour qu'il aille rejoindre les autres. Un concert d'applaudissements et de cris se mit à retentir à mesure que Charlie avançait vers eux. Et ça ne venait pas seulement de ses amis, cette fois! Il se concentrait vraiment pour ne pas rougir. Il n'avait pas trop confiance en ses jambes non plus et fut soulagé de se retrouver à côté de Slogger sans avoir trébuché.

Clark leva la main.

— Messieurs, voici votre équipe du Challenge. Applaudissez-les!

Il y eut trois «hip, hip, hip, hourra!» retentissants avec, comme chef de chœur, nul autre que le coach Miller.

— C'est cool ou c'est pas cool, ça, *man*? demanda Slogger à Charlie qui exultait.

21

Le Challenge

Charlie contourna le filet et patina à toute vitesse vers la ligne bleue. Il tentait de se détendre. Une petite réunion avait eu lieu après l'annonce faite par Miller et Binns concernant les alignements de la partie du Challenge. Charlie s'était retrouvé dans l'équipe de Binns et – était-ce intentionnel ? – Jake avait été repêché par Miller. Le lendemain matin, ses coéquipiers et lui avaient rencontré Binns pour discuter de la formation des trios et de la stratégie. Il avait été étonné quand l'entraîneur avait annoncé que Charlie pivoterait sur un trio avec Simon et Gabriel. Le coach avait ensuite demandé aux joueurs de trouver un nom à leur équipe. Après quelques propositions un peu folles, l'un d'eux avait suggéré les Sharks et personne ne proposa mieux. Il s'avéra que l'équipe de Miller avait aussi choisi un nom évoquant l'agressivité : les Cobras. Alors, ce serait les requins contre les serpents.

— Charlie, viens donc ici une seconde.

Au banc des Sharks, Binns et Corey lui faisaient de grands signes. Charlie se laissa glisser vers eux et appuya un coude au bord de la bande.

— Je m'attends à une super performance de votre part, à tous les deux. J'imagine que l'essentiel de l'offensive des Cobras va venir de Jake et J. C. Ils sont tous les deux excellents : rapides, instinctifs, bons tireurs… Faites attention à la créativité de Savard. Il ne faut absolument pas lui permettre de contrôler la rondelle dans notre zone. Foncez sur lui et assurez-vous de garder la *puck* loin de son bâton. Jake, lui, va essayer de se servir de sa puissance, alors soyez concentrés sur votre jeu de position et bougez-vous les pieds. C'est un vrai poison dans l'enclave, alors faites en sorte qu'il y ait toujours un gars entre le filet et lui.

— Compris, coach, répondit Corey. On va les couvrir au max et on va en mettre une couple dedans. On va travailler fort et ça va être payant. Tu peux compter sur nous.

— Bravo pour ta confiance, apprécia Binns.

Corey sourit et frappa les jambières de Charlie.

— Est-ce que mon trio peut commencer le match ? demanda Corey. On est prêts, coach ! C'est OK, Charlie ? Merci ! continua-t-il avant même que son compagnon de chambre puisse répondre quoi que ce soit.

— Il va falloir que vous restiez calmes, précisa Binns, un peu inquiet.

Charlie avait le sentiment que le commentaire s'adressait à Corey.

— Je vais faire les ajustements nécessaires au fur et à mesure, mentionna encore l'entraîneur. Allez finir de vous réchauffer.

— Oui, m'sieur! acquiesça Corey.

Charlie s'éloigna, à la recherche d'une rondelle libre. Il avait à peine quitté le bord de la bande qu'un petit coup de bâton sur ses jambières le fit sursauter.

— J'ai *full* d'énergie aujourd'hui! annonça Corey. Mes batteries sont *full* rechargées. J'vais étirer un peu mes présences pour être bien sûr de contrôler J. C. et Jake. Toi, ça va te permettre de te reposer.

Il redonna un coup de bâton sur les jambières de Charlie.

— Ça va être OK, Charlie, tu vas t'en tirer. C'est normal que tu sois nerveux. J'ai déjà vécu ça, j'ai joué *full* de parties importantes. Laisse-moi m'occuper de tout ça.

Il frappa sur les jambières de Charlie une troisième fois et s'en alla au moment où l'arbitre siffla; les joueurs patinèrent aussitôt vers leurs bancs respectifs.

— C'est le trio de Corey qui commence! annonça Binns.

Charlie s'assit entre Simon et Gabriel en attendant son tour – et pour attendre, il attendit: comme il l'avait annoncé, Corey étira sa présence, à tel point qu'il resta presque deux minutes entières sur la glace. Quand il retraita enfin au banc et que Charlie sauta sur la patinoire, ses ailiers à lui revinrent, eux aussi, et Charlie dut se résoudre à retourner s'asseoir.

Pourtant, il était clair que Corey avait beaucoup de mal à suivre le tempo dicté par Savard. Même s'il pouvait tenir le coup, au niveau de la forme physique, le talent de J. C. était trop supérieur. À un moment donné, dans la zone des Sharks, Savard passa la rondelle entre les patins de Corey et fit une passe soulevée dans l'enclave à un coéquipier laissé tout seul. Heureusement, ce dernier heurta le poteau. Puis il y eut un changement de trio chez les Cobras et les ailiers de Corey revinrent au banc. Mais pas lui! Charlie rongeait son frein, le moral dans les talons. L'arbitre siffla finalement un hors-jeu qui marqua le retour de Corey au banc.

— Corey! Plus vite, les changements! lui ordonna Binns.

Le garçon hocha la tête et alla s'asseoir sans dire un mot à Charlie.

À la mise au jeu, Charlie se retrouva devant Jake, qui était un centre assez exceptionnel: fort et très persévérant. D'expérience, Charlie savait que son adversaire aimait se servir de sa taille et de sa puissance au cercle de mise en jeu, sans parler des doubles-échecs «occasionnels». Mais, étonnamment, Jake ne se servit de son bâton que pour tenter de ramener le disque derrière lui. Charlie fut cependant un peu plus rapide et il réussit à passer une rondelle tourbillonnante à son défenseur.

Il se colla à Jake pour laisser le champ libre à son défenseur qui repassa immédiatement la *puck* à son partenaire, à la ligne bleue. Charlie, sans hésiter, coupa vers le centre et reçut une passe vive et précise en pleine palette. Un ailier des Cobras se précipita vers lui pour le couvrir, mais Charlie l'aperçut du coin de l'œil et bifurqua sur sa gauche, tout juste avant de remarquer Gabriel qui s'était démarqué à l'aile.

Simon arrivait en trombe de l'autre côté et il réclama la rondelle. Ça ne tomba pas dans l'oreille d'un sourd et Gabriel ne le déçut pas. Pendant ce temps, Charlie s'était placé au centre, légèrement en retrait. C'était un trois-contre-deux, mais Jake et ses ailiers se repliaient à la vitesse grand V. Il fallait agir vite.

Puisqu'il était gaucher, Simon transporta le disque sur son coup droit, attirant vers lui les deux défenseurs. Mais Charlie coupa au filet, ce qui fit hésiter les arrières. Cette action suffit à Gabriel, qui en profita pour se faufiler derrière le défenseur du côté droit. Simon, avant même que l'arrière puisse réagir, envoya une passe parfaite à Gabriel : le rapide ailier était seul.

Celui-ci feinta à gauche, puis à droite, et le gardien s'agenouilla. Charlie crut qu'il avait une occasion de tenter un tir dans la lucarne, le haut du filet étant libre. Mais non, au lieu de tirer, Gabriel envoya la *puck* à Charlie. C'était un jeu d'un altruisme total. Charlie n'eut qu'à projeter le disque dans un filet presque désert.

Les joueurs dans les gradins se déchaînèrent, applaudissant, criant et faisant claquer le dossier de leur siège.

— T'as bien suivi le jeu, apprécia Simon en tapotant le casque de Charlie.

Gabriel donna à chacun un petit coup de poing sur la grille.

— Beau travail, les *boys*, c'était *sweeeeeet!*

Les Cobras apportèrent des changements de trios et Corey sauta sur la glace. Simon fronça les sourcils. Charlie n'était dans le jeu que depuis une trentaine de secondes – gracieuseté des présences interminables de Corey. Mais il n'avait pas envie de se plaindre et il se dirigea vers le banc.

À la mise au jeu, Savard remporta facilement son duel. Il envoya la rondelle à son défenseur qui l'expédia aussitôt par la bande jusqu'à l'ailier gauche qui la retourna profondément dans la zone des

Sharks, et ses coéquipiers et lui se précipitèrent en échec-avant.

Au banc, Simon se plaignit à Charlie:

— T'as même pas eu le temps de te réchauffer! On en met une dedans, pis le clown s'amène sur la glace.

Gabriel cracha de l'eau sur la patinoire et renchérit:

— Moi, j'pense encore que c'est Duncan qui méritait d'être quatrième centre. Corey est bon — j'veux pas dire le contraire –, mais…

— … mais il a des mains prises dans le ciment, termina Simon.

Charlie intervint:

— Il était là l'année dernière…

Simon l'interrompit:

— J'ai joué dans un tournoi contre lui, l'an passé. Il était déjà comme ça. Il était en super forme, *top shape*, pis ça lui donnait un avantage sur les autres. Mais je pense qu'il a… plafonné. Il a du cœur, mais le talent n'est pas là.

— Regardez ça! le coupa Gabriel.

Savard avait récupéré une rondelle libre. Lorsque Corey se rua sur lui en échec-avant, J. C. pivota habilement et se débarrassa de lui comme s'il s'était agi d'un enfant. Puis il laissa partir un laser dans le coin supérieur gauche du filet.

— Charlie, va falloir que ce soit toi qui couvres Savard, intima Gabriel d'un ton ferme. Corey est juste pas capable. Si le coach réagit pas, on est faits… à l'os.

Binns, presque au même moment, s'approcha d'eux et tapota leurs casques.

— On a besoin d'un but, les gars. Soyez prêts à sauter sur la glace.

Charlie était plutôt d'accord avec Gabriel, mais il se disait que ce n'était pas ses affaires. Il sauta par-dessus la rampe et patina lentement jusqu'au centre pour la mise au jeu, la tête ailleurs. Jake était déjà là, fin prêt.

— Mets ton bâton sur la glace, le réprimanda l'arbitre, sinon je fais la mise sans toi.

Cet avertissement le sortit instantanément de sa rêverie. Assez perdu de temps et de salive à parler de Corey. Maintenant, il allait se concentrer sur Charlie Joyce, et seulement sur Charlie Joyce.

22

Tout simplement… parfait

Au fur et à mesure que la partie progressait, la prédiction de Gabriel s'avérait. Savard et Jake dominaient Corey : aux mises au jeu, en échec-avant et dans la zone des Cobras. Leur supériorité était même devenue un sujet de plaisanterie au banc des Sharks, où les joueurs ne se gênaient pas pour soupirer bruyamment ou pour lancer de petites pointes assassines. Charlie croyait pourtant que Corey était simplement trop tendu. Il fallait juste qu'il se calme. En fait, il essayait de trop en faire, commettait des erreurs et prenait de mauvaises décisions. À la fin de la deuxième période, le score était de 3 à 2 pour les Cobras. C'était Gabriel qui avait marqué le deuxième but des Sharks, grâce à un *wrap-around* très réussi.

Binns rappela ses joueurs au banc pour avoir une petite conversation. Il n'avait pas l'air de bonne humeur.

— On n'arrive pas à leur mettre la pression!
Vous leur rendez la tâche facile. On peut se compter très chanceux de perdre par un seul but. Et vous
pouvez remercier notre gardien, il vous a sauvé les
fesses. Là, il va falloir se réveiller! Charlie, je veux
que tu couvres Savard. Tu sautes sur la glace quand
il saute sur la glace. Tu rentres au banc quand il
rentre au banc. Compris?

Corey regarda longuement son colocataire avant
d'aller s'asseoir.

— J'avais le pressentiment que je t'aurais dans la
face en troisième, lança Savard qui attendait déjà
Charlie au cercle de mise au jeu en souriant.

— Ouais... J'aimais mieux attendre que tu sois
fatigué, le nargua Charlie en souriant à son tour.

Savard ricana et se pencha, prêt pour la mise en
jeu. L'arbitre laissa tomber la rondelle qui fit un
curieux bond de côté. Charlie sauta dessus et J. C.
se rua sur lui. Simon et son couvreur intervinrent
eux aussi, et une joyeuse mêlée s'ensuivit. Dans les
gradins, les spectateurs encourageaient les joueurs
qui luttaient comme des déchaînés pour la possession du disque.

Ce fut Charlie qui réussit à sortir vainqueur et
il renvoya la *puck* vers son défenseur, en retrait.
Mais Savard, qui avait réagi rapidement, força le
défenseur à se débarrasser aussitôt de la rondelle
vers sa droite. Gabriel la récupéra, tout en luttant
contre l'ailier gauche des Cobras qui s'était collé

à lui. Charlie misa sur l'habileté de Gabriel et se plaça un peu plus loin, à découvert, dans l'espoir de recevoir une passe. Pari gagné! Gabriel parvint à se libérer de son couvreur et réussit à lui passer le disque par la bande.

Charlie saisit la passe à reculons, puis il pivota et fila vers la ligne bleue. Un bref coup d'œil lui apprit que J. C. était lancé à ses trousses. Une fraction de seconde, il fut tenté de passer à travers les défenseurs, mais il se souvint des paroles de Trevor, tout au début du camp : « Ne risquez pas de revirement en zone neutre! », « Envoyez toujours la rondelle profondément en zone adverse! » Charlie attendit un peu, fit un pas de côté pour laisser le temps à Simon et Gabriel de prendre leur élan, puis il lança la rondelle au fond de la zone ennemie, dans le coin gauche. Pas question de laisser Savard profiter d'un revirement!

Ce fut, à peu de choses près, l'histoire de la troisième période : les deux équipes jouèrent du jeu serré, sans arriver à se départager. Il n'y eut que peu d'occasions de marquer. Savard et Charlie ne se quittaient pas d'une semelle, annulant ainsi toute tentative offensive d'un côté comme de l'autre. Corey réussit à avoir – légèrement – le dessus sur Jake, la plupart du temps. Jusqu'à ce que ce dernier parvienne à se saisir d'un rebond chanceux et à donner un avantage de deux buts à son équipe.

Vers la fin de la partie, Charlie reçut la rondelle tout près de la bande à sa propre ligne bleue. Gabriel était en maraude près du banc des Sharks et Simon ne bougeait pas de la ligne rouge. Avec l'avance dont son équipe jouissait, Savard choisit de jouer prudemment et de se replier, ce qui donna à Charlie l'occasion de s'élancer. La voie était libre. Il passa le disque à Simon et accéléra.

— La passe! cria-t-il à Simon aussitôt que la *puck* atteignit son bâton.

Celui-ci s'exécuta parfaitement et remit le disque à Charlie qui s'envola au centre.

— J'suis derrière toi, Charlie!

C'était étrange. Ça ressemblait à la voix de Corey. Il devait avoir pris la place de Gabriel. Charlie réfléchit à toute vitesse: Corey allait faire ce qu'il faisait invariablement, déborder sur le côté et essayer de couper au filet. Le défenseur allait le plaquer et ce serait terminé. Ça le décida. Il fit une feinte de passe et fonça entre les deux arrières. Avant qu'ils le prennent en sandwich, Charlie fit un mouvement extrêmement rapide en passant la rondelle du revers juste à la gauche du patin du défenseur droit et, tenant son bâton d'une seule main, il réussit à le contourner. Le défenseur sortit la hanche et Charlie eut tout juste le temps – et le réflexe – d'éviter ce qui aurait sans doute été une mise en échec percutante. Ce faisant, il perdit presque pied. Mais à la dernière seconde, il retrouva à la fois l'équilibre et le disque bondissant.

Les cris de la foule l'électrisèrent. Peu importe le pointage, le moment était venu : il allait faire *sa* feinte. Il l'avait énormément travaillée durant les entraînements : passer la *puck* sur son patin droit, puis la renvoyer sur son coup droit.

Soudain, une voix retentit derrière lui :

— Charlie ! La passe !

Corey frappait la glace de son bâton.

— La passe !

Charlie aurait l'air d'un parfait égoïste s'il ne passait pas. Il se dirigea résolument vers la gauche, afin que le gardien n'ait d'autre choix que de se compromettre, puis il fit une passe du revers à Corey. Le gardien sortit la jambière dans une tentative désespérée. Tout le haut du filet était ouvert ; Corey n'avait plus qu'à ralentir et placer le disque dans le coin supérieur.

Mais il décida plutôt de tirer à la réception... directement sur les jambières du gardien. Charlie avait déjà les bras en l'air.

Dépité, il retourna au banc, la tête basse.

— Mais veux-tu bien me dire à quoi tu pensais ? lui demanda Simon avec un petit sourire en coin.

— Aussi bien faire la passe à un trou noir, ironisa Gabriel.

Charlie but une gorgée d'eau.

— La partie est finie... Pas important, se contenta-t-il de répondre sans les regarder.

— C'est pas encore terminé, Joyce, le contredit Gabriel. On a encore un *shift*. On a le temps d'en mettre une dedans.

— On a le temps d'en mettre deux dedans, le corrigea Simon.

Charlie se retint de rire. Ses coéquipiers ne plaisantaient pas, eux, ils étaient sérieux! Il prit une autre gorgée d'eau et regarda le tableau indicateur: encore deux minutes. Ils auraient peut-être le temps, si seulement Corey pouvait rentrer au banc!

Burnett venait de battre Corey dans une course pour récupérer une rondelle libre à la ligne bleue. Il avait ensuite réussi, en faisant preuve de capacités athlétiques vraiment exceptionnelles, à se faire une passe à lui-même par la bande, à contourner Corey et à récupérer la *puck*.

— Tenez-vous prêts, lança Charlie à ses compagnons de trio en se levant.

Il les voulait, ces deux dernières minutes.

— Corey! *Change up!*

Celui-ci le fixa, visiblement étonné de recevoir un tel ordre. Il se contenta de secouer la tête de gauche à droite. Mais Charlie, lui, ne se satisfit pas de si peu. Son désir de jouer était plus fort que ça; il était plus fort que tout. Il fallait qu'il saute sur la glace, même au risque de provoquer une pénalité pour surnombre.

— Corey! *Change up!* cria Charlie de nouveau avant de sauter par-dessus la clôture.

Burnett avait expédié le disque profondément dans le territoire des Sharks. Charlie se rua vers son but, espérant seulement que Corey avait compris – et obéi. Deux joueurs des Cobras étaient postés devant le filet et le défenseur des Sharks balayait la glace de façon plutôt désespérée, tentant tant bien que mal de couvrir les deux attaquants. Burnett s'aperçut de ce combat inégal et fit une passe vive et précise à l'attaquant placé dans le haut de l'enclave. Charlie se précipita, le tête la première, et glissa, le bâton loin devant lui, parvenant *in extremis* à harponner la rondelle et à l'envoyer dans le coin droit.

L'attaquant des Cobras laissa échapper une sorte de grognement de dépit et de surprise. Charlie eut le réflexe de se relever sur un genou tout en plantant la lame de son patin dans la glace pour éviter d'aller s'écraser sur la bande.

— J'm'occupe de lui! lança-t-il à son défenseur, en parlant de l'attaquant encore dans le haut de l'enclave.

Le défenseur lui fit un signe de tête affirmatif et se chargea de l'autre attaquant des Cobras. Il le repoussa vers le côté, ce qui permit à Charlie de prendre quelques secondes pour évaluer la situation. Le défenseur des Cobras, à la pointe, avait renvoyé la *puck* au fond du territoire vers Burnett, qui tournait le dos à un défenseur des Sharks. Burnett s'employait à revenir vers le centre. Jake était positionné à côté du filet. Charlie comprit leur stratégie : ils allaient faire circuler le disque pour que le maximum de temps puisse s'écouler. Jake et Burnett étaient costauds et habiles : les Sharks allaient avoir du mal à récupérer la rondelle à temps.

Le défenseur joua bien et empêcha Burnett de revenir devant le filet en lui barrant la route. Burnett en fut quitte pour retourner se coller sur la bande. Jake se déplaça pour s'offrir en cible et Charlie constata que le cycle allait recommencer. Mais celui-ci n'allait pas se contenter de les regarder. D'accord, les Cobras avaient sans doute déjà gagné la partie, mais il voulait absolument en marquer un de plus, pour Gabriel et Simon autant que pour sa satisfaction personnelle.

Il abandonna sa couverture de l'avant des Cobras et s'introduisit entre Jake et Burnett, en espérant que le défenseur ne s'apercevrait de rien.

La tactique fonctionna : Charlie intercepta la *puck* sur la bande. Rien n'était gagné, cependant, puisqu'il était coincé entre Burnett et Jake. Le jeu le plus sûr aurait été de simplement dégager son territoire par la baie vitrée. Mais, pour la seconde fois, il se moqua bien de la prudence et coupa en plein centre. Il effleura le poteau du but, en misant sur l'espoir que Jake et Burnett seraient fatigués après une si longue présence. Il entendit Jake grogner derrière lui et l'autre ailier des Cobras accomplit un effort louable pour le freiner, mais sans succès. Les deux arrières avaient joué prudemment et avaient déjà retraité en zone neutre.

Même s'il avait désormais la voie libre, Charlie pensa à ses deux compagnons de trio qui étaient, eux, toujours au banc. Aussi, plutôt que de poursuivre son attaque, il rebroussa chemin à sa ligne bleue et retourna dans son territoire, passant le disque à son défenseur derrière le filet. Les joueurs des Cobras en profitèrent pour effectuer des changements sans prêter attention à Charlie. Mais celui-ci remarqua qu'un des joueurs le regardait d'une drôle de manière. Il ne s'en préoccupa pas : au moins, son retour allait donner une chance à Gabriel et Simon de sauter sur la glace.

Gabriel émergea comme une fusée le long du cercle de mise en jeu où il accepta une superbe passe du défenseur sans ralentir sa course. Charlie était derrière lui et Gabriel lui laissa la rondelle. Charlie fit deux enjambées avant de la remettre à Simon qui, à son tour, la renvoya aussitôt, et sans l'arrêter, à Gabriel. Le jeu de passes rapide surprit les avants des Cobras. Hors position, ils ne purent qu'être les témoins impuissants de l'irrésistible montée.

À quatre pieds environ de la ligne bleue, Gabriel abandonna la *puck* et fonça sur sa gauche. Au même moment, Simon coupa en diagonale pour venir prendre le disque. Charlie constata la confusion des défenseurs et il en profita pour pénétrer par le centre. Simon le vit et lâcha lui aussi la rondelle. Le défenseur droit tenta maladroitement de s'en emparer, mais Charlie fut plus rapide. À présent, c'était un trois-contre-un.

Le reste du jeu se déroula en un éclair. La *puck* alla de Charlie à Simon, puis à Gabriel, puis encore à Charlie. Le défenseur tomba à genoux, croyant à tort que ce dernier allait tirer. Mais il renvoya le disque du revers à Gabriel qui coupa vers le poteau du but, forçant le gardien à s'écraser en papillon. Charlie freina pour s'offrir en cible à l'embouchure du filet, alors que Simon s'installait du côté du poteau éloigné.

Gabriel passa la rondelle à Simon dans l'enclave. Contrairement à Corey avant lui, Simon fit preuve de patience. Le gardien se précipita du côté de ce dernier, qui en profita pour remettre calmement la *puck* à Charlie, qui la donna à Gabriel. Presque en riant, Gabriel n'eut qu'à la déposer dans le filet béant.

Charlie regarda ses compagnons de trio avec un air incrédule. On ne voyait que très rarement de tels jeux. Ils avaient traversé la totalité de la patinoire pour venir marquer. Voilà un but dont il se souviendrait longtemps! Toute la frustration accumulée durant la partie, durant le camp, disparut en une seconde. C'était la magie du hockey et, à voir la tête de Gabriel et Simon, Charlie sut qu'ils partageaient son émerveillement.

Corey sauta sur la glace.

— Heille, penses-y même pas! lui cria Simon. On va s'occuper des trente dernières secondes.

— Mais vous avez compté, protesta Corey.

— Ben, justement, répliqua Gabriel.

Binns avait un pied au bord de la bande.

— Corey! Tu changes quand je te dis de changer! C'est la dernière fois que je te le répète.

Corey baissa la tête et retourna piteusement au banc.

— C'était beau à voir! Joli but, reconnut Savard lorsque Charlie et lui s'installèrent pour la mise au jeu au centre de la glace.

Charlie sourit et plaça son bâton. «Joli but?» Non, le but parfait, et la façon parfaite de terminer le camp.

Ce fut lui qui remporta la mise au jeu et un défenseur des Sharks envoya le disque par la bande jusqu'à Simon qui l'expédia en zone adverse. Burnett gagna la course et retourna la *puck* par la bande. Son ailier prit la rondelle et la passa à J. C. qui traversa la ligne bleue et se contenta de la renvoyer du revers dans le territoire adverse. Lorsque le défenseur des Sharks alla récupérer le disque, le temps était écoulé. Il restait seulement quelques secondes pour un long dégagement facilement gobé par le gardien. La sonnerie retentit : c'était terminé. Le gardien des Cobras leva son gant contenant la rondelle en signe de victoire. Ses coéquipiers vinrent l'entourer en se félicitant mutuellement.

Gabriel rejoignit Charlie et le gratifia d'un coup de bâton amical sur les jambières.

— En tout cas, ils peuvent pas nous enlever le dernier but, hein ?

Charlie lui donna un petit coup sur les jambières à son tour ; il avait absolument raison.

23

Finir en beauté

Les trois coéquipiers ramassèrent leurs sacs d'équipement et sortirent du vestiaire.

— On n'aurait eu besoin que d'un autre *shift*, pis on aurait annulé, commenta Gabriel.

— Il nous fallait deux buts pour gagner, ajouta Simon.

— Et, évidemment, un dernier *shift* pour le but d'assurance, renchérit Charlie.

Les trois amis s'esclaffèrent.

— C'est fou comme le camp a passé vite. C'est comme si je venais d'arriver, pis on repart dans quelques heures, remarqua Gabriel, tout à coup plus sérieux.

Simon intervint :

— Ç'a été une longue saison, *man*. Mon équipe a eu un minicamp à la fin août, pis si on compte les *try-out* en avril, pis un tournoi en mai, j'ai l'impression d'avoir joué toute l'année. J'vais prendre un *break* pendant six semaines cet été ; après ça, ça recommence.

— Qu'est-ce que tu vas faire cet été ? s'intéressa Charlie.

— Camp de hockey, répondit Simon en grimaçant.

— Faut beaucoup travailler ! affirma Gabriel en riant. Moi aussi, j'ai un camp de perfectionnement.

Charlie comprenait, parce qu'il était fait du même bois. Le hockey, c'était sa vie, et c'était plus fort que tout : même quand il était fatigué, même quand il avait toutes les misères du monde à sortir du lit…

Quand ils furent dehors, Charlie laissa tomber son sac au sol et il tendit le poing.

— On s'appelle, hein ? Vous me direz comment ça va, pis de quoi ont l'air vos équipes, OK ? On va peut-être se croiser dans un tournoi.

— Vaut mieux pas pour toi, se moqua Simon. Je connais toutes tes feintes.

— Ouais, ben, j'ai gardé les meilleures, répliqua Charlie en ricanant.

Gabriel et Simon frappèrent son poing et ils se dirent au revoir. Charlie récupéra son sac et vit Scott, Nick et Slogger en train de discuter, un peu plus loin, dans l'herbe. Il alla les rejoindre.

— Vous nous avez fait honneur, s'écria Charlie.

— Merci, répondit Slogger. J'ai beaucoup aimé le dernier but.

— Euh… excuse-moi, mais je pense que Charlie s'adressait à moi, nota Scott. Oui, je l'admets : je vous ai encouragés de façon brillante. Évidemment, j'ai eu un petit relâchement en fin de deuxième – la fatigue –, mais je me suis bien repris en troisième.

— Les pompons ont été appréciés, précisa Nick. Une touche de classe.

— Et la jupette aussi, ajouta Slogger.

— J'ai été dominant, décréta Scott. Qu'est-ce que je peux ajouter ?

Ils continuèrent de bavarder de la partie en route vers le dortoir. Les autocars étaient garés tout près. Quand il les vit, Charlie se sentit un peu triste. Maintenant que le camp était officiellement terminé, il ne voulait plus partir. Jen les attendait devant la porte.

— On a un horaire… serré, messieurs, les avertit-elle. Il va falloir se dépêcher.

— C'est vrai que d'habitude, l'horaire est pas mal lousse, remarqua Scott.

— T'oublies les 12 secondes de repos qu'elle nous a données hier, le corrigea Nick.

Scott se donna une claque sur le front.

— J'suis rendu Alzheimer.

Jen se mit à rire de bon cœur.

— On part dans à peu près deux heures, leur apprit-elle. Préparez vos affaires et laissez vos sacs à côté des bus. Le coach Clark va vous parler à la patinoire 1 avant le départ. Alors, pour la dernière fois, et après ça, vous ne m'entendrez plus jamais vous le dire : ne soyez pas en retard !

— Allez-y, proposa Charlie à ses amis. Je veux aller voir la boutique de l'université. Ça sera pas long.

— Vas-tu m'acheter un souvenir ? Quelque chose de rose ? demanda Scott en minaudant avant de tourner les talons et de partir en courant.

Charlie ferma la fermeture éclair de son sac qu'il déposa sur le plancher. Corey avait déjà fait de même, et leurs regards se croisèrent. Corey détourna les yeux le premier.

— Bonne *game*, commença Charlie, prudemment.

— C'est passé trop vite, déclara Corey. J'ai même pas eu le temps de transpirer. En plus, on commençait à avoir le dessus en troisième. Pis j'avais noté les faiblesses de leur *goaler* : il fallait faire la feinte de lancer bas, pis shooter *top net*. J'aurais dû faire ça plus tôt – *my bad*. J'en aurais scoré une couple, pis on aurait gagné…

Charlie remarqua un sweat-shirt sous son lit. Il rouvrit son sac.

— As-tu vu tous les dépisteurs? J'pense qu'y en avait au moins sept! reprit Corey.

Charlie fourra son chandail dans son sac et le referma.

— Je voulais te dire, continua Corey. J'ai trouvé que t'avais eu une bonne partie et j'suis content qu'ils t'aient fait jouer. Mais je suis pas sûr que t'aies eu raison… J'veux dire: je comprends que t'aies voulu protéger Jake, parce que vous êtes de la même ville. Mais le gars a volé la bague, c'est évident. J'pense pas qu'ils auraient dû lui permettre de jouer.

Ça, c'était trop.

— Tu m'niaises? rétorqua Charlie, complètement incrédule. Toi et moi, on sait très bien qui a volé la bague…

Des coups frappés à la porte l'interrompirent. Un homme s'avança jusqu'au centre de la pièce. Habillé avec soin, portant un beau blouson de cuir et des souliers vernis, il observa la chambre et, lorsqu'il remarqua la présence de Charlie, il grimaça. Corey rougit et baissa les yeux.

— P'pa, c'est Charlie. C'est… C'était mon coloc.

Charlie dit poliment bonjour, mais il dut faire de grands efforts pour ne pas éclater de rire. Le père de Corey était maigrichon et tout petit, en fait, plus petit que lui! C'était lui qui avait l'air d'être le fils de Corey!

Monsieur Sanderson dévisagea Charlie:
— Oh… euh… salut, Charlie.

Il fixa de nouveau son regard sur son fils.

— Toute une partie, ce matin !

Corey s'assit sur son lit.

— Je disais justement à Charlie que j'avais trouvé ça trop court et que je sentais qu'on revenait dans le match. Je commençais à me sentir bien, j'rentrais dans ma *game*, pis la partie était finie…

— Tu rentrais dans ta *game ?* coupa son père brusquement. Deux tirs au but dans toute la partie et t'étais sur la glace pour leurs trois buts. Savard t'a complètement mis dans sa petite poche, pis l'autre, là… Wilkensen, il t'a dominé, lui aussi.

Il s'arrêta et se rapprocha de son fils.

— Wilkensen était pas supposé avoir été mis dehors ?

— Les coachs lui ont permis de rester, bredouilla faiblement Corey.

— C'est pas important, répliqua son père en faisant un grand geste du bras. Ce qui est important, c'est qu'on peut pas dire que t'aies fini en beauté.

— Tu sais que j'peux jouer mieux que ça, marmonna Corey, de plus en plus doucement. J'ai été blessé au début du camp – demande à Charlie –, et ensuite, j'ai été malade. J'suis peut-être pas encore tout à fait guéri…

Son père hocha la tête.

— OK, OK… Peut-être. Je sais que tu as été malade. Mais quand même !

Charlie n'en revenait tout simplement pas. Corey était déjà assez malheureux comme ça de sa contre-performance, inutile d'en rajouter! Son père ne l'aidait certainement pas à se sentir mieux.

— Il y avait au moins cinq recruteurs du junior majeur dans les estrades et au moins autant de recruteurs universitaires. Penses-tu que tu les as impressionnés? Penses-tu que Corey Sanderson est dans leurs plans? Penses-tu qu'ils vont gaspiller un choix au repêchage pour toi? Ou qu'ils vont t'offrir une bourse d'études?

Corey paraissait détruit. Charlie décida de venir à sa rescousse.

— Ç'a été difficile de m'ajuster à mon trio, pour moi aussi, avoua-t-il.

Il espérait donner le temps à son colocataire de reprendre la maîtrise de la situation.

— Corey venait justement de me dire qu'il avait trouvé son rythme seulement en troisième. Ç'a été pareil pour moi.

Monsieur Sanderson le fixa d'une façon telle que Charlie se sentit bientôt mal à l'aise. Finalement, l'homme reporta son regard sur son fils.

— Prends tes affaires et rejoins-moi en bas dans cinq minutes. Je suis pressé: j'ai plein de rendez-vous au bureau. Alors, dépêche-toi.

Il tourna les talons et partit. Corey était tétanisé. Il restait assis sur son lit, perdu dans ses pensées.

Charlie n'avait plus envie de l'affronter au sujet de la bague ni de quoi que ce soit d'autre. Il jugeait que Corey avait eu son compte et il avait tellement pitié de lui que le reste lui paraissait sans importance.

D'habitude, lorsque Charlie pensait à son père, il était toujours noyé par le chagrin ou envahi par la colère. Mais, après ce qu'il venait de voir, le souvenir de son père lui fut un peu moins pénible. Le jeune homme se mettait bien plus de pression que son père ne l'avait jamais fait. Son père l'avait toujours encouragé, il lui avait appris beaucoup de choses; il s'était occupé de lui. Et il lui avait toujours répété de jouer au hockey seulement s'il aimait ça. Charlie n'arrivait même pas à imaginer ce que ç'aurait été d'avoir un père comme celui de son compagnon de chambre.

Corey bondit brusquement du lit, avec un regard farouche.

— Mon père a raison. J'ai été pourri pendant toute la *game*. J'ai pas d'excuses – les excuses, c'est pour les *losers*. Faut juste que je travaille plus fort, c'est tout. Faut que je m'entraîne plus fort. Faut que j'y mette de l'effort. Fini, les excuses! Je m'suis pogné le beigne trop longtemps, mais là, c'est fini. Mon père dit toujours que quand on veut, on peut. Pis tu sais quoi? Y a raison en maudit! T'as juste à le regarder : il a bâti sa *business* de rien, juste par la volonté et le travail. Tu sais quoi, Charlie? Si tu *veux* plus que l'autre gars, ben tu vas l'*avoir*.

Il avait un air un peu délirant, comme un otage qui fait l'apologie de ses bourreaux.

— Ça, c'est mon *wake-up call*, poursuivit-il. Je dois continuer de m'améliorer pis de travailler, et je te garantis une chose : la prochaine fois que je joue contre Savard ou Wilkensen, ça va être très différent.

Charlie était encore plus découragé. Le pauvre Corey allait continuer de s'entraîner à mort dans l'espoir d'être repêché ou d'obtenir une bourse. Il était en train de gâcher sa vie pour impressionner son père.

— T'es sûr que tu veux vraiment faire ça ? J'veux dire… est-ce que ça vaut vraiment la peine ?

Corey, soudain, parut au bord des larmes.

— Et qu'est-ce que tu veux que je fasse d'autre ?

Il secoua la tête à plusieurs reprises.

— C'est pas ce que je voulais dire, reprit Charlie. Ce que je veux dire, c'est que t'y arriveras jamais avec cette attitude-là.

— Arriver à quoi ?

— Faire le junior… l'université… la LNH…

Les yeux de Corey lançaient des éclairs. Il attrapa son cellulaire sur la table de nuit et le mit dans sa poche.

— Oublie ça. C'est pas ton problème. Faut que j'y aille.

Il prit son sac.

— Bye.

Charlie ne voulait pas que ça se finisse ainsi.

— Hé, Corey! J'voulais pas dire ça… enfin… Je suis sûr que tu vas y arriver. Et c'est vrai que t'as été blessé… et pis que t'es tombé malade. Ton père était pas là, il sait pas vraiment… Je sais que t'as ce qu'il faut pour réussir.

Corey déposa lentement son sac sur le plancher.

— Merci, Charlie. C'est gentil. Je suis content d'avoir fait ta connaissance. C'est plate qu'on n'ait pas eu la chance de jouer ensemble plus souvent.

Il lui fit un clin d'œil.

— Peut-être qu'on va jouer ensemble dans la LNH…

Charlie sourit.

— Ça, ça serait é-cœu-rant!

Corey donna une tape dans le dos de Charlie et referma la porte derrière lui. Quelques secondes plus tard, Slogger, Nick et Scott firent irruption dans la chambre. Charlie ramassa son sac.

— Êtes-vous prêts? Jen a dit de se bouger, rappela-t-il à ses amis.

— Mesdames et messieurs, annonça Nick d'un ton grandiloquent, je n'aurais jamais cru voir le jour où Charlie Joyce, de Terrence Falls, nous dirait de nous dépêcher pour ne pas être en retard.

— Et c'est intéressant de noter que monsieur Joyce semble avoir compris ce concept le jour de notre départ du camp, nota Scott avec un sourire malicieux.

— Il veut sans doute impressionner sa nouvelle petite amie, suggéra Nick.

— Julia va être jalouse, ajouta Scott.

— Qui est Julia? demanda Slogger, intéressé.

— La bonne amie de Charlie. Sa fiancée, en quelque sorte, répondit Scott. C'est triste de voir comme il l'oublie facilement.

Charlie et Julia étaient devenus amis durant l'année scolaire, et Nick et Scott n'en finissaient plus de taquiner Charlie à ce sujet.

— Vous êtes pas tannés? s'enquit ce dernier.

Nick passa son bras sur ses épaules.

— C'est notre travail, Charlie. On est payés pour ça. Il faut que tu restes humble.

— Vous êtes très bons, apprécia Charlie. De vrais pros.

Sur le chemin de l'aréna, celui-ci leur raconta l'épisode du père de Corey.

— J'avais l'impression que Corey était sur le point de cracher le morceau, précisa Charlie. Je suis sûr qu'il sait que je sais.

— Mouais… Mais ça m'étonnerait qu'il soit prêt à admettre qu'il vit sa vie pour satisfaire les ambitions de son père. Et en avouant le vol, il avouerait ça aussi, remarqua Nick avec sagacité.

— Le problème, c'est qu'il est pas ben ben bon, commenta Charlie. Je pense qu'il devrait juste jouer pour le fun. Faudrait qu'il comprenne ça.

— Mais il ne le fera pas, répliqua Scott en donnant un petit coup de poing sur l'épaule de Charlie.
Ils sont pas tous aussi intelligents que nous, tsé.

La plupart des autres joueurs étaient déjà assis
dans les gradins quand ils parvinrent dans l'aréna.
Jen était en haut de l'escalier.

— Charlie Joyce, au moins, on peut dire que tu
es constant. Et je constate que tu t'es débrouillé
pour que tes amis soient en retard, eux aussi!

— On est en retard! s'exclama Charlie, en colère
contre lui-même. Comment ça se peut? Je pensais
qu'on avait le temps.

Jen éclata de rire.

— Je rigole, Charlie, je rigole! Excuse-moi, j'ai
pas pu m'en empêcher. Tu es tellement sérieux, j'ai
voulu te dérider un peu.

Charlie rougit.

— Désolé...

Jen s'esclaffa de nouveau.

— Pas besoin de t'excuser!

Elle s'approcha de lui.

— Charlie, t'es un super bon gars! J'admire ce
que tu as fait pour Jake – et tout le *staff* t'admire
aussi –, et tu as joué toute une partie aujourd'hui!

Il se sentit rougir encore plus.

— Merci. J'ai... j'ai juste fait ce que je pensais
devoir faire.

— Mais ce n'est pas tout le monde qui l'aurait
fait, Charlie, nota-t-elle en serrant son bras. Bon,

maintenant, allez vous asseoir avant d'être vraiment en retard.

— Julia va être *terriblement* jalouse, nota Scott.

— Joyce, le séducteur…, ajouta Nick, pensivement.

Charlie tenta de les ignorer alors qu'ils continuaient de le taquiner. Heureusement, le coach Clark et le reste de l'équipe d'instructeurs arrivèrent.

— Ç'a été une drôle d'année, faut avouer, déclara Clark, ce qui déclencha une vague de rires. Mais ç'a été aussi, et surtout, une année très enrichissante. Vous avez tous bénéficié d'un contact avec la réalité d'un vrai camp de hockey. J'ai vu des gars dévoués, qui ont travaillé fort. Et j'ai vu beaucoup de talent. Souvenez-vous toujours de ce que vous avez appris ici, continuez de vous entraîner dur, pour être meilleurs et plus forts. Je suis certain qu'il y a de futures vedettes dans cette salle.

Il prit une gorgée de café.

— Quand on a commencé ce camp, à l'époque, on remettait des récompenses. Tu te souviens, Rick ?

Binns approuva de la tête.

— Et puis, ensuite, on s'est dit qu'on n'envoyait pas le bon message. Vous n'êtes pas ici pour recevoir des trophées. Vous êtes ici pour travailler, pour vous dépasser, donner tout ce que vous avez dans le ventre et…

Il marqua une pause pour entretenir le suspense.

— … et pour avoir du fun !

Sa réplique fut accueillie par des rires et des applaudissements.

— Trop souvent, on traite les gars de votre âge comme des athlètes professionnels. Jouez au hockey pour avoir du plaisir! Jouez au hockey parce que vous aimez jouer au hockey! Pas parce que vous rêvez des millions de la LNH.

Il s'arrêta un moment.

— Remarquez, il n'y a rien de mal à rêver à la LNH. Mais gardez toujours en tête qu'il y a beaucoup d'appelés, mais peu d'élus. Très peu. L'école doit demeurer votre priorité. Sans oublier votre famille et vos amis!

Quelques murmures se firent entendre parmi les joueurs.

— Je suis fier de chacun d'entre vous. Vous avez fait du beau travail. Et j'espère sincèrement vous revoir l'an prochain.

Clark se mit à applaudir et, bientôt, les autres instructeurs se joignirent à lui. Les joueurs ne furent pas en reste, car très vite, tout le monde se mit à taper des mains au même rythme, en parfaite symbiose, tous unis, en équipe.

— Je m'attendais pas à ce qu'il dise ça, chuchota Charlie dans l'oreille de Slogger.

— Je pense que le message s'adressait à au moins une personne ici, releva Slogger. J'espère qu'il a compris.

— Ouais… Mais en tout cas, nous, on n'en avait pas besoin ! répliqua joyeusement Charlie.

Ce dernier avait de quoi se réjouir. Il était fier : fier de lui, fier de s'être tenu debout et de ne pas avoir abandonné, même dans les moments difficiles. Et des moments difficiles, il y en avait eu. Mais, comme Clark l'avait dit, le hockey, c'était une affaire de volonté et de dépassement de soi. Charlie s'était tenu debout et il avait beaucoup appris. Et pas seulement sur le hockey. Beaucoup sur lui, aussi. En plus, il avait rencontré des gars vraiment cool : Slogger, Simon et Gabriel, pour ne nommer que ceux-là. Bon, bien sûr, il y avait eu aussi Jake et Zane… Mais la vie n'est jamais parfaite, n'est-ce pas ? Et, de toute façon, même ces idiots-là n'avaient pas réussi à lui gâcher son camp. Cet été s'annonçait être le plus bel été de sa vie.

Il se leva avec les autres joueurs qui applaudissaient à tout rompre.

24

De retour

La mère et les grands-parents de Charlie l'attendaient devant la porte.

— Il va falloir le passer au tuyau d'arrosage! s'écria sa grand-mère. Dis-moi donc, ils vous laissent pas prendre votre douche, à ce camp-là?

Le jeune homme embrassa ses grands-parents.

— Ah, grand-maman! J'avais pas beaucoup de temps pour faire du lavage.

— Moi, ça ne me dérange pas. Viens dans mes bras, lui dit sa mère.

Elle le prit par le cou et l'embrassa sur les deux joues.

— Je me suis ennuyée de mon petit garçon.

— Pas si petit que ça! objecta son grand-père. J'ai l'impression que t'as pris deux pouces depuis ton départ.

— As-tu mangé à ta faim ? lui demanda sa grand-mère.

— Oh oui !

— Mais je parierais que tu aimerais une petite collation, devina sa mère.

Charlie fit une grimace.

— Juste une p'tite collation…

— Viens dans la cuisine. Tu pourras nous raconter tout ça, proposa-t-elle.

— Où est Danielle ? demanda-t-il.

— Mon Dieu ! s'exclama sa mère. Ça fait pas deux minutes que tu es là et tu réclames ta sœur !

— Ben, j'ai un cadeau pour elle. J'aurais voulu lui donner.

— Elle est dans la cour. Elle joue au soccer avec Hannah. Profites-en pour leur dire de venir manger un morceau.

Charlie sortit un paquet de son sac à dos et se précipita vers la cour. Danielle était gardien de but, tandis que sa meilleure amie essayait de la déjouer.

— Wô, là ! Vas-y mollo, c'est une passoire, cria-t-il depuis la terrasse.

Danielle s'écria :

— Heille ! Charlie est revenu !

Les deux filles coururent vers lui.

— C'est quoi ? C'est quoi ? demanda Danielle en pointant le paquet.

Charlie rit.

— J'ai même pas droit à un petit *high five* de bienvenue?

Les deux amies levèrent la main et le garçon tapa dedans.

— OK, mais qu'est-ce qu'il y a dans le sac? insista Danielle, excitée comme une puce.

— Quelques petites choses, annonça-t-il. Comme je me doutais bien qu'Hannah serait ici, j'en ai pris en double.

Il sortit deux gigantesques sucettes.

— Ooooh! Merci, Charlie, elles sont aussi grosses que ma tête! s'écria Hannah qui avait ouvert la bouche toute grande.

En un éclair, les deux fillettes avaient déballé les friandises.

— T'avais pas dit que t'avais plusieurs choses? bafouilla Danielle tant bien que mal, la sucette dans la bouche.

— Ouaip, c'est ce que j'ai dit. Danielle, ferme les yeux.

Elle fourra le bonbon profondément dans sa bouche et mit ses deux mains sur ses yeux.

— Maintenant, tu vas suivre attentivement mes instructions, commanda Charlie.

Il sourit et la mit en garde:

— Hé! Tu regardes à travers tes doigts!

Danielle protesta vaguement, mais elle replaça quand même ses mains.

— Bon, bon… OK, tu peux ouvrir les yeux, décréta Charlie qui eut pitié d'elle.

Entre-temps, la mère et les grands-parents de Charlie étaient venus les rejoindre sur la terrasse. Il tendit le paquet à Danielle.

— Wow! Tellement cool! s'exclama-t-elle, visiblement ravie. Maman! Regarde! Un chandail de hockey de la Northern University! C'est un vrai! Comme ceux de la Ligue nationale!

— Mets-le, l'engagea Charlie.

— Super cool! apprécia Hannah.

Tout le monde avait les yeux fixés sur Danielle.

— Arrêtez de me regarder! Vous me gênez!

Ils éclatèrent tous de rire. Sa mère proposa ensuite:

— Venez donc dans la cuisine! J'ai des muffins et des croissants.

— Miam! fit Danielle avant de se précipiter dans la maison, suivie de son amie.

— C'était vraiment gentil de ta part, Charlie, lui dit sa mère alors qu'ils rentraient tranquillement à l'intérieur. Je sais que ces chandails coûtent une fortune.

— Ben, j'avais économisé pas mal d'argent cette année en travaillant au café. Je me suis dit que ça lui ferait plaisir.

— Je pensais que tu économisais pour t'acheter une planche à roulettes? intervint son grand-père.

— Ouais, aussi… Mais c'est pas grave, j'ai tout le reste de l'été pour ramasser les sous. Et je pensais que Danielle méritait bien ça… après ce qu'elle a fait pour moi.

— Allons-y, suggéra sa mère, après avoir affectueusement ébouriffé les cheveux de son fils. Rentrons vite avant que les filles aient tout mangé.

Charlie se mit ensuite à leur raconter le camp, passant sous silence les problèmes causés par Corey. Mais il leur parla néanmoins du père de son compagnon de chambre.

— Il y a beaucoup de parents qui vivent leurs rêves à travers leurs enfants, déplora sa mère. Ils mettent tellement de pression sur eux que les enfants finissent par abandonner.

— C'est encore pire que ça pour Corey, expliqua Charlie. Il a bien trop peur de son père pour arrêter ! J'te l'jure : son père va freaker s'il est pas repêché dans le junior ou s'il obtient pas de bourse d'une université. Pis je crois vraiment pas qu'il ait le talent nécessaire…

Le téléphone sonna et Danielle bondit pour répondre. Elle lui tendit l'appareil.

— C'est une fille… Julia…

Charlie se sentait rougir. Il prit le combiné et bredouilla :

— Allô ?

C'était Pudge. Danielle, la bouche pleine, riait tellement qu'elle recrachait des miettes de croissant un peu partout autour d'elle.

— Tu vas me le payer, lui promit Charlie qui ne pouvait s'empêcher de sourire.

Il eut une brève conversation avec Pudge et raccrocha.

— Maman, j'ai deux questions. La première : est-ce que je peux aller au chalet de Pudge la semaine prochaine ? La dernière fois, j'avais dû annuler à cause du camp et…

— Pas de problème, Charlie. Bien sûr que tu peux !

— Merci ! Et la deuxième, c'est…

Il inspira profondément.

— Est-ce que je pourrais aller faire du skate avec Pudge, et peut-être Scott, Nick et Zac ?

Sa mère s'adossa contre sa chaise.

— T'es revenu depuis quoi… une heure ? Et déjà…

— Je sais, m'man ! J'suis désolé. Mais c'est parce que tout le monde part, après. Ils s'en vont à des camps, à leur chalet, j'sais pas… C'est peut-être la dernière chance qu'on a de se réunir avant la rentrée…

Sa mère haussa les sourcils.

— On va jouer dehors, annonça Danielle en mettant un énorme morceau de croissant dans sa bouche avant de se précipiter dans la cour avec Hannah.

La mère de Charlie soupira.

— Bon, ben… je pense que la réunion de famille est terminée.

Les grands-parents éclatèrent de rire.

— Bienvenue dans le merveilleux monde des ados! lança la grand-mère.

— Alors, je peux? insista Charlie.

— Mais oui. On mange à six heures.

— Je serai là!

— Si tu reviens à temps, ça va être une première, ironisa sa mère.

— Ah, mais, j'ai appris ça au camp : la ponctualité! C'est fini l'époque où j'étais toujours en retard!

Il grimpa les marches de l'escalier quatre à quatre, prit ses affaires, redescendit aussi vite et se mit en route.

Ses amis étaient déjà au sommet de la colline.

— Désolé, j'avais les grands-parents, pis tout ça…

— J'viens juste d'arriver, moi aussi, reconnut Nick. Mes parents voulaient pas me laisser partir.

— Vous devriez essayer ma méthode, suggéra Scott. Moi, je pique une crise jusqu'à ce que mes vieux aient tellement honte de moi qu'ils me supplient de m'en aller.

— *Man*, des fois, tu me fais peur, constata Nick.

— *Man*, des fois, j'me fais peur, répliqua Scott, visiblement préoccupé.

Charlie vit au loin une silhouette familière.

— Yo, Pudge! lui cria-t-il.

Les deux amis se saluèrent avec un retentissant *high five*.

— Comment c'était, au camp? s'enquit Pudge, un peu timidement.

— Est-ce que "super-écœurant-débile" répondrait à ta question?

— Ça me rendrait un peu jaloux, mais ça y répondrait.

Nick et Scott s'approchèrent.

— Est-ce que Charlie t'a raconté comment j'avais dominé tous les gars et est-ce qu'il t'a dit que les coachs avaient reconnu que j'étais le meilleur joueur qu'ils avaient jamais vu et...

— Pas encore, Scott, il a pas eu le temps, mais je suis sûr qu'il va me déballer tout ça, répondit Pudge en riant.

— Qui veut y aller? lança Zachary en pointant du doigt sa planche.

— Moi! s'écria Charlie.

Zachary baissa les yeux sur le *longboard* de Charlie.

— J'pensais que t'avais dit que t'allais acheter des nouvelles roulettes. T'avais pas économisé exprès?

— Pas assez encore. Je devrais en avoir suffisamment d'ici un mois ou deux.

— On va faire le train! proposa Zachary. Charlie, mets-toi derrière moi et agrippe-toi. Vous autres, mettez-vous derrière lui.

— Ça m'a tout l'air d'une excellente méthode pour qu'on se tue, évalua Scott. *Let's go!*

— *Let's go!* firent Nick et Pudge en chœur.

Zachary se mit à rouler un peu, effectua un *ollie* et freina.

— T'as tout à fait raison, Scott. On a déjà vécu assez longtemps comme ça, de toute façon, commenta Charlie en prenant Zach par les épaules.

Des voix qui s'approchaient se firent entendre. Charlie en reconnut une sur-le-champ: celle de Jake. Ce dernier cessa tout net de parler à ses amis quand il vit Charlie et sa bande.

— Allez-y les premiers, les gars, nous, on est pas pressés, proposa Jake.

Charlie n'en revenait pas: pas d'insultes, pas de défi stupide, pas de sarcasmes.

— OK, on y va, dit-il à Zachary en lui donnant une petite poussée.

Pudge agrippa son chandail, et Nick et Scott suivirent. Au début, ils avancèrent prudemment, prenant un peu plus de vitesse au fur et à mesure de leur descente. Après le premier virage, ils foncèrent. Charlie s'accroupit davantage et se pencha au tournant suivant, le vent dans les cheveux.

— Plus vite! Plus vite! clama-t-il.

Il ne s'était jamais senti aussi bien.

Table des matières

DU MÊME AUTEUR

Hockey de rue, Montréal, Hurtubise, 2011.

SÉRIE «PASSION HOCKEY»
Sur le poteau, tome 1, Montréal, Hurtubise, 2014.
Jeu de puissance, tome 2, Montréal, Hurtubise, 2014.

Suivez-nous

Achevé d'imprimer en octobre 2015
sur les presses de Marquis-Gagné
Louiseville, Québec